B O N S A Ï

DENIS SEBBAN

Bonsaï d'intérieur et d'extérieur

COMMENT LES ENTRETENIR FACILEMENT

Sommaire

INTRODUCTION

« L'art du bonsaï à la portée de tous ». Voilà une affirmation qui, en Occident, pourrait passer pour de la provocation ! En effet, combien de fois n'avons-nous entendu, autour de nous, que seuls les spécialistes ou des initiés pouvaient s'occuper de ces arbres miniatures ? Cette idée, largement répandue, tendrait à donner du bonsaï l'image d'un végétal fragile et difficile à cultiver.

Or, il n'en est rien. Son entretien ne réclame que de l'observation, du bon sens… et de la patience. Même s'il peut être qualifié, dans certains cas, « d'œuvre d'art vivante », n'oublions pas que le bonsaï est avant tout un arbre. Comme tout végétal, il a donc besoin, en premier lieu, de bonnes conditions de culture pour pousser et se développer. On ne pourra jamais former et façonner un bonsaï si celui-ci n'est pas avant tout vigoureux et en bonne santé. C'est donc en respectant d'abord les règles simples qui régissent la culture de tout végétal que l'on pourra ensuite aborder les techniques particulières aux bonsaï. La démarche de cet ouvrage suivra donc la même logique : dans un premier temps, expliquer comment un végétal vit et pousse, et quels sont les éléments qui conditionnent sa physiologie (la lumière, la température, l'eau, le sol et la nourriture). Ensuite, nous aborderons les techniques simples (accessibles à un large public) qui permettent l'entretien courant du bonsaï. Il s'agit de la taille et du rempotage. Enfin, nous mentionnerons les méthodes plus élaborées qui permettent de parachever un arbre déjà formé, ou de modifier radicalement son aspect. Ces dernières techniques s'adressent plus aux amateurs avertis et aux passionnés de cet art, bref à tous ceux qui ont attrapé le « virus » du bonsaï.

▼ Pin Pentaphylla

L'origine du mot BONSAÏ est japonaise, et signifie littéralement : « arbre (SAÏ) poussant dans un pot (BON) ». La tradition veut que sa transcription occidentale soit invariable : on écrira donc au pluriel bonsaï sans « S ». De même, les puristes prononcent conformément à sa transcription phonétique : « BONSSAÏ » et non pas « BONZAÏ ».

Historiquement, le Bonsaï trouve son origine en Chine. Vers le deuxième siècle avant notre ère, des artistes jardiniers commencèrent à façonner des paysages sur des plateaux. Ces PUN-CHING, constitués de pierres, de sable et de petits arbres visaient à reproduire en miniature des paysages de montagnes, de bois et de rivières tels qu'on pouvait les admirer dans la nature. Certains s'inspiraient des sites grandioses de la région de GUILLIN célébrés par de nombreux peintres et poètes. Plus tard, on vit apparaître les PUN-SAÏ, précurseurs et équivalents chinois des BONSAÏ japonais.

Contrairement aux PUN-CHING, qui représentaient un paysage dans son ensemble, les PUN-SAÏ se limitaient à un arbre planté dans un pot. Ce récipient en céramique, profond et richement décoré, contenait un arbre à la silhouette souvent tourmentée. Celle-ci évoquait parfois des formes animalières, tel que le dragon, cher à la mythologie chinoise.

Les PUN-CHING et les PUN-SAÏ étaient alors l'apanage de la noblesse et des artistes. Plus tard les moines bouddhistes les adoptèrent à leur tour. La tradition veut d'ailleurs que ce soit l'un d'entre eux qui ait introduit cet art au Japon, vers le Xe siècle. Les premières représentations de Bonsaï sur des parchemins japonais apparaissent deux cents ans plus tard. Le début de l'ère EDO (1615-1867) verra une évolution du style vers plus d'élégance, de simplicité et de raffinement. Au début du XIXe siècle, on assiste à une codification très

qu'un bonsaï ?

stricte des différentes formes de bonsaï (rigoureusement vertical, souplement vertical, battu par les vents, forêt, cascade
etc.). Ces différents styles correspondent en fait à des formes
rencontrées à l'état naturel. C'est à cette époque qu'apparaît
véritablement le terme de BONSAÏ. Au début du XXe siècle,
le bonsaï devient un art à part entière. Il subit une évolution
esthétique, visant à s'affranchir du style chinois. Les formes
tourmentées, les poteries profondes et lourdement décorées
sont peu à peu abandonnées, pour faire place à un style typi-
quement japonais : les arbres adoptent des formes plus
simples et plus élégantes tandis que les poteries deviennent
plus plates et plus dépouillées. Dans le même temps, on
assiste également à une vulgarisation de cet art dans toutes les
couches de la société.

Après la 2e Guerre mondiale, la mode du bonsaï se répand en
Occident et notamment dans les années soixante-dix avec l'apparition du bonsaï d'intérieur. Il s'agit d'acclimater des espèces
tropicales pour pouvoir les garder à l'intérieur d'une habita-
tion. Le phénomène du bonsaï d'intérieur est donc très récent,
même s'il représente aujourd'hui 90 % du marché en France.

◄ Un Murraya,
d'origine chinoise
aux formes
tourmentées.
▲ Un Pin
Pentaphylla,
d'origine japonaise,
au style plus épuré.

LES DIFFÉRENTS STYLES

À partir de l'observation des arbres dans la nature, les Japonais ont établi une codification des différents styles qu'ils peuvent adopter. Cette liste pouvant comporter plus d'une trentaine de formes différentes, nous n'étudierons ici que les plus courantes.

▲ **CHOKKAN**
(variante à double tronc)
Forme rigoureusement verticale. Le tronc est absolument vertical et la ramure de forme pyramidale.

▲ **MOYOGI**
Forme souplement verticale. Le tronc s'élève de manière sinueuse, l'amplitude des courbes diminuant de la base vers le sommet. Les branches principales se situent à l'extérieur des courbes. C'est le style le plus classique.

▲ **YOSE-UE**
Forme en forêt. Plusieurs arbres de tailles et de diamètres différents sont groupés pour former une forêt. Les différents sujets doivent être placés de manière irrégulière, en formant des sous-groupes et en ménageant des espaces. Les plus grands sont en général placés devant les plus petits, pour donner un effet de perspective.

▲ **IKADABUKI**
Forme en radeau. Un arbre étant couché contre terre, le tronc s'enracine et les branches verticales se transforment en nouveaux troncs.

▲ SHAKAN
Forme penchée. Le tronc est incliné et la ramure s'étale dans toutes les directions.

▲ HOKIDACHI
Forme balai. Le tronc est vertical, et la ramure s'étale en forme de balai, toutes les branches prenant naissance à la même hauteur. *(Voir également photo du Zelkova de Chine p. 89).*

▲ KENGAÏ & HAN-KENGAÏ
Forme cascade et semi-cascade. Comme pour un arbre accroché à une falaise, le tronc se penche au-dessus du pot, ou même retombe en-dessous de lui. La poterie est en général assez profonde. *(Voir également photo du pommier p. 118).*

▲ ISHIGAMI
Forme sur roche. Les racines s'accrochent à un rocher avant de pénétrer dans le sol.

▲ BUNJINGI
Forme « du lettré ». Le tronc légèrement sinueux est dépourvu de branches, sauf à la cime. *(Voir également photo du Murraya p. 81).*

▲ FUKINAGASHI
Forme « battue par les vents ». Le tronc est incliné et les branches ne poussent que d'un côté de l'arbre.

NOTIONS ESTHÉTIQUES ÉLÉMENTAIRES

Au-delà des particularités qui déterminent le caractère propre à chaque style, il existe des règles esthétiques communes que l'on retrouve dans presque toutes les formes de bonsaï. Elles ont trait au choix de la face de l'arbre, aux branches inesthétiques à supprimer, à l'importance de l'asymétrie et du vide, et aux rapports entre l'arbre et le pot.

▶ COMMENT DÉTERMINER LA FACE ET L'ARRIÈRE D'UN BONSAÏ?

Observons l'exemple de la forme MOYOGI : les critères de sélection de la face avant, valables pour ce style, peuvent être appliqués à la plupart des autres styles, excepté les forêts, la forme du « lettré », et le style « balai ».

La face avant doit idéalement remplir les trois conditions suivantes :

❶ C'est le côté où l'on voit le tronc dégagé sur la plus grande hauteur. Théoriquement, aucune branche ne doit cacher la partie basse du tronc jusqu'à la moitié, ou mieux, les deux tiers de sa hauteur.

❷ Vu de cette face, le bonsaï doit avoir ses première et deuxième branches alternativement à droite et à gauche, et la troisième branche derrière (branche de profondeur).

❸ Enfin, la tête doit sembler s'incliner légèrement vers l'observateur. De même, si la base du tronc présente une courbure concave, celle-ci devra être face à l'observateur.

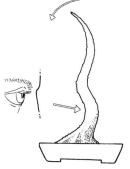

Dans la pratique, ces conditions ne pouvant toujours être réunies, on essayera de les corriger par une taille de structure *(voir p. 30).*

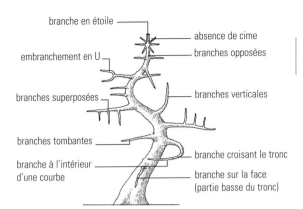

branche en étoile

absence de cime

embranchement en U

branches opposées

branches superposées

branches verticales

branches tombantes

branche à l'intérieur
d'une courbe

branche croisant le tronc

branche sur la face
(partie basse du tronc)

**Branches mal
positionnées :**
lesquelles doit-on enlever ?
Le dessin ci-contre réunit
sur le même arbre tous
les cas à proscrire.

▶ NOTIONS D'ASYMÉTRIE, IMPORTANCE DU VIDE

D'un point de vue esthétique, la symétrie est synonyme de
lourdeur et de rigidité. C'est pourquoi la forme générale
de la ramure d'un bonsaï s'inscrira de préférence dans un
triangle asymétrique, plus naturel et harmonieux.
Une seule exception : la forme en « balai ».

**De même, un ou
plusieurs espaces
vides** permettent de
suggérer une plus grande
profondeur à la compo-
sition, et lui donnent
plus de rythme.

Ces notions d'asymétrie et de vide
se retrouvent dans le positionnement
du bonsaï dans son pot : l'arbre ne sera
jamais placé au centre du pot,
mais toujours dans la partie
arrière, et décalé à gauche ou à droite.

Il en sera de même dans le cas d'une forêt : on évitera de serrer les arbres d'un bord à l'autre du pot, en utilisant toute la largeur de celui-ci. Au contraire, on essayera de les disposer de manière irrégulière, avec des intervalles inégaux, et on veillera à ménager un espace vide, une « ligne de fuite » sur un côté de la coupe.

▶ CHOIX DE LA POTERIE

La beauté d'un bonsaï réside pour beaucoup dans l'harmonie qui existe entre l'arbre et son pot. Les dimensions de la coupe devraient donc tendre vers des proportions idéales avec la grandeur et la forme de l'arbre *(voir dessin ci-dessous)*. Il est bien évident qu'il s'agit là de règles théoriques qui ne doivent pas contrecarrer la bonne croissance du bonsaï.

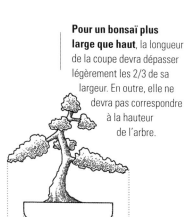

Pour un bonsaï plus large que haut, la longueur de la coupe devra dépasser légèrement les 2/3 de sa largeur. En outre, elle ne devra pas correspondre à la hauteur de l'arbre.

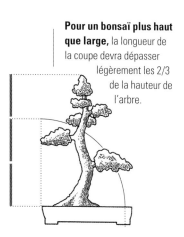

Pour un bonsaï plus haut que large, la longueur de la coupe devra dépasser légèrement les 2/3 de la hauteur de l'arbre.

De même, la forme et la couleur de la poterie doivent s'harmoniser avec celles du tronc et de la ramure. Ainsi, un arbre aux formes très mouvementées nécessitera un pot très sobre pour le mettre en valeur. Inversement, un arbre aux formes simples et rigoureuses acceptera un pot plus décoré. La règle veut que la poterie ne cache pas l'arbre en captant l'attention de l'observateur, mais le mette en valeur.

Poteries japonaises de Tokoname, japonaises classiques et coréennes

◀ Un Carmona,
d'origine chinoise

L'entretien

L e bonsaï est un arbre, un végétal, avant d'être une œuvre d'art. Contrairement aux idées reçues, ce n'est pas un arbre diminué ou affaibli. Il doit être vigoureux et pousser dans de bonnes conditions. Beaucoup de gens arrivent à conserver des plantes dans leur jardin ou à l'intérieur de leur logement, mais éprouvent plus de difficultés avec les bonsaï. Pourquoi ? Parce que c'est un « condensé en miniature ». Un éventuel déséquilibre dans les facteurs qui régissent sa vie et sa croissance (manque de lumière, excès de chaleur, excès d'eau, manque d'eau, manque de nourriture) sera visible plus rapidement chez un bonsaï que sur un arbre de taille normale, du fait de son volume réduit et de son confinement dans un petit pot. Les conséquences néfastes n'en seront que plus rapides. Or, un bonsaï n'est ni fragile, ni compliqué à entretenir. Il ne réclame qu'un minimum d'observation et de bon sens.

▼ Un Érable
Palmatum
au printemps.

COMPRENDRE LES BESOINS VITAUX DE L'ARBRE

L'arbre, comme nous, a besoin pour vivre de lumière, de chaleur, d'air, d'eau et de nourriture. Pour comprendre comment ces éléments interagissent et s'équilibrent pour le faire pousser, observons la physiologie de l'arbre. On peut diviser celui-ci en quatre parties :

– **Les racines** servent à ancrer l'arbre dans le sol, et à acheminer dans toute sa structure l'eau et les sels minéraux que les radicelles puisent dans la terre.

courant

– **Le tronc et les branches** forment la structure aérienne de l'arbre, et servent à véhiculer la sève brute (eau + sels minéraux) montant des radicelles vers les feuilles.

– **Les feuilles** constituent de véritables usines chimiques. Grâce à la lumière, elles transforment l'eau, les sels minéraux et le gaz carbonique qu'elles captent dans l'air en sève élaborée (eau, sucres et amidon) et en oxygène qu'elles relâchent dans l'atmosphère. La sève élaborée sera ensuite acheminée par les branches et le tronc dans toutes les parties de l'arbre, pour faire pousser de nouvelles feuilles, de nouvelles radicelles, ainsi que les fleurs et les fruits.

– **Les fleurs et les fruits** assureront la reproduction (sexuée ou asexuée) de l'arbre.

Il existe donc deux circuits de sève dans l'arbre :
  – La sève brute (eau + sels minéraux) qui monte des radicelles vers les feuilles.
  – La sève élaborée (eau + sucre + amidon) qui va des feuilles vers toutes les parties de l'arbre.
Ces deux circuits utilisent des canaux différents. La sève brute monte par l'aubier. La sève élaborée descend par le liber. Pour que l'arbre puisse vivre et se développer, il est donc nécessaire qu'un équilibre s'établisse dans le cycle de ces deux circuits de sève. Si une des deux sources alimentant ces deux circuits vient à être endommagée (radicelles ou feuilles), l'équilibre est rompu, et l'arbre sera endommagé, voire condamné.Observons l'exemple d'un arbre âgé, dans la nature. Avec le temps, certaines de ses branches vont mourir

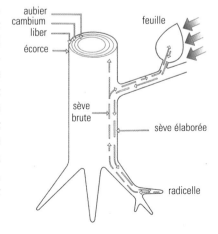

(parfois un côté entier de l'arbre). Pourquoi ? Les racines progressant dans le sol vont trouver des milieux plus ou moins favorables. Certaines vont évoluer dans un sol fertile et humide, où elles trouveront la nourriture nécessaire aux parties de l'arbre qu'elles alimentent. D'autres, au contraire, aboutiront à des zones du sol pauvres en eau et en nourriture, et dépériront. Leur disparition entraînera la mort des branches qu'elles alimentaient.

Il y a correspondance entre la partie aérienne et la partie souterraine de l'arbre. En observant la partie visible (ramure), on peut deviner ce qui se passe dans la partie souterraine (racines).

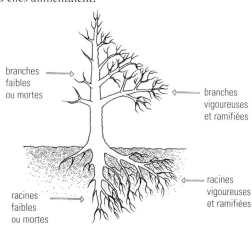

branches faibles ou mortes

branches vigoureuses et ramifiées

racines faibles ou mortes

racines vigoureuses et ramifiées

Inversement, si sur un côté de l'arbre, la ramure subit des dommages irrémédiables (destruction physique, brûlures, maladie), les racines correspondantes ne seront plus alimentées en sève brute, et mourront.

En fait, l'arbre peut surmonter une défaillance passagère de ses deux sources de sève, grâce à la réserve d'éléments nutritifs et d'eau que contiennent le tronc et les branches. Ceux-ci constituent une zone-tampon qui peut alimenter les radicelles et les feuilles pendant un certain temps. Mais cela fatigue l'arbre. Par exemple, une taille complète des feuilles n'endommagera pas un arbre en bonne santé. Ses réserves seront suffisantes pour créer de nouvelles feuilles et faire pousser les radicelles. De même, lors d'une taille importante des racines, la réserve-tampon permettra à un arbre sain de faire repousser de nouvelles radicelles, et d'alimenter ainsi les feuilles en sève brute. L'arbre a donc des ressources pour pallier un déséquilibre passager (sécheresse momentanée, excès d'eau dans les racines, chute accidentelle des feuilles, etc.). Mais un déficit chronique, voire permanent, entraînera inévitablement une dégénérescence et la mort. Il est donc évident que pour un bonsaï, petit arbre vivant avec une réserve de terre (et donc d'humidité) limitée, un éventuel déséquilibre aura des conséquences beaucoup plus rapides que pour un arbre poussant en pleine terre.

LA LUMIÈRE

Comme nous l'avons vu, c'est elle qui conditionne l'essentiel de la vie de l'arbre. Elle est à l'origine de la photosynthèse, et donc de l'absorption de sève brute et de la fabrication de sève élaborée par les feuilles. Plus un bonsaï recevra de lumière, plus son activité sera importante. La quantité de lumière reçue par un bonsaï aura donc des conséquences évidentes sur ses besoins en eau. Plus il y aura de luminosité, plus sa consommation de sève brute sera importante, et plus il aura besoin d'arrosages fréquents sous peine de le voir sécher et d'endommager ses radicelles et ses feuilles. Moins il aura de lumière, moins il consommera de sève brute, avec le risque de ne plus pouvoir absorber l'eau du substrat, et de faire pourrir ses racines. Dans la pratique, il faudra donc adapter la fréquence des arrosages à la quantité de lumière reçue.

Un arbre placé à 1,5 m d'une fenêtre reçoit deux fois moins de lumière qu'à 0,50 m.

Nous ne nous en rendons pas compte, car notre pupille s'adapte instantanément, mais le bonsaï, lui, le ressent bien, et son activité s'en trouve modifiée.

De même, entre deux journées d'hiver (par exemple), l'une avec un ciel couvert et sombre, l'autre avec un ciel clair et ensoleillé, les écarts de luminosité peuvent faire varier la consommation en eau de 1 à 3 pour un même bonsaï placé au même endroit.

Une remarque particulière pour les bonsaï d'intérieur : étant placés dans une pièce, ils reçoivent inévitablement moins de lumière que leurs cousins vivant à l'extérieur. Très souvent, on constate donc l'apparition de carences et de déséquilibres dans leur physiologie. Autre phénomène pouvant être observé sur un bonsaï d'intérieur : si celui-ci est toujours placé au même endroit, avec le même côté exposé en permanence à la lumière, ses feuilles auront tendance à ne pousser que de ce côté, au détriment de celles situées sur le côté le plus sombre. Il faudra donc veiller à le tourner régulièrement.

LES CONSÉQUENCES VISIBLES D'UN MANQUE DE LUMIÈRE :
- des feuilles de plus en plus grandes
- des entre-nœuds (intervalles entre les feuilles) de plus en plus larges
- un dépérissement de la partie centrale de la ramure
- une tendance du substrat à ne plus absorber l'eau, signe d'un pourrissement des racines

---

LA TEMPÉRATURE

La température, comme la lumière, a une influence sur l'activité générale de l'arbre, et plus spécialement sur sa consommation en eau et en éléments nutritifs. La chaleur est d'ailleurs souvent liée à la luminosité : un bonsaï placé à l'ombre souffrira moins de la chaleur que s'il est placé en plein soleil, ou juste derrière une vitre.

Les besoins et les tolérances en matière de température varient selon les espèces. Les bonsaï d'extérieur, par exemple, devront impérativement suivre le cycle des saisons, et subir un repos hivernal au froid. Il est hors de question de garder dans une maison ou un appartement, pendant l'hiver, un bonsaï d'extérieur, sous peine de le perturber gravement et de le voir s'épuiser. Par contre, un bonsaï d'intérieur (d'origine tropicale ou subtropicale) s'accommodera bien d'une température à peu près constante toute l'année, ce qui correspond au climat de sa région d'origine. Certaines espèces (Ormes, Sageretias, Serissas) s'adaptent cependant très bien à une baisse de température en hiver, à condition d'être protégés du gel.

De même, les arbres dotés de feuilles épaisses et charnues ou d'aiguilles résisteront mieux à une chaleur prolongée que ceux qui ont des feuilles minces et tendres : ainsi les Pins et les Genévriers pour les bonsaï d'extérieur, et les Carmonas, Ficus et Celtis pour les bonsaï d'intérieur. À l'inverse les Érables d'une part, et les Serissas, Sageretias et Ligustrum, d'autre part sont plus sensibles au « coup de chaud ». Cette distinction s'explique par la texture des feuilles. En effet, la chaleur provoque une évaporation de l'eau contenue dans celle-ci. L'arbre « transpire ». Ce phénomène provoque une dépression, qui aspire la sève brute. Celle-ci va donc monter des radicelles vers les feuilles. Une évaporation accrue augmentera donc la consommation en eau, comme pour les êtres humains.

Mais la chaleur a également une influence sur l'assimilation des éléments nutritifs contenus dans la sève brute. Pour simplifier, on peut dire que l'arbre ne consomme ces éléments que dans une certaine tranche de température. Quand il fait trop froid ou trop chaud, il ne les assimile plus.

LES SIGNES VISIBLES D'UN EXCÈS OU D'UN MANQUE DE CHALEUR

- **Chaleur trop importante :** les feuilles deviennent molles et retombent, à cause de la déshydratation, et les tiges perdent de leur turgescence. Si le « coup de chaud » est trop violent, les feuilles peuvent se dessécher sans même avoir le temps de tomber, et prennent alors une couleur vert terne : souvent, à ce stade, il est déjà trop tard.
- **Manque de chaleur :** les feuilles jaunissent et tombent. Parfois l'extrémité et le bord de celles-ci noircissent. Ceci est dû à un pourrissement des racines, consécutif à une chute de la consommation de l'eau du substrat.

L'EAU

Nous abordons maintenant le chapitre le plus important dans l'entretien des bonsaï : l'arrosage. Les maîtres japonais considèrent d'ailleurs que c'est là un aspect essentiel de leur art. Il faut donc savoir quand et comment arroser. Cela n'est pas compliqué, mais ne réclame que de l'observation et du bon sens.

▶ QUAND ARROSER ?

Nous avons vu que la lumière et la chaleur étaient les deux facteurs principaux conditionnant l'absorption de l'eau par le bonsaï. Plus la luminosité et la chaleur seront importantes, plus l'arbre boira. La fréquence des arrosages dépendra donc uniquement de ces deux facteurs. Par conséquent, il est totalement illusoire de les programmer de manière fixe et immuable (tous les jours, tous les deux jours, une fois par semaine, etc.).

▼ Les bonsaï doivent être arrosés par le dessus, jusqu'à ce que l'eau s'écoule bien par les trous de drainage situés sous le pot.

Par exemple, un bonsaï d'extérieur exposé au Sud, en plein soleil, nécessitera peut-être deux arrosages journaliers, en plein été. Le même arbre, situé à l'ombre, boira évidemment moins d'eau. De même, un bonsaï d'intérieur placé juste derrière une vitre orientée au Sud séchera beaucoup plus vite que s'il est situé dans un coin plus sombre de la pièce.

Observons deux cas extrêmes : les importateurs de bonsaï d'intérieur reçoivent leurs arbres de Chine du Sud par containers. Pendant les quatre semaines du voyage en bateau, personne ne les arrose ! Mais l'obscurité complète et la température basse (le container est généralement climatisé en dessous de 14 °C), leur permettent de survivre sans apport d'eau, en freinant considérablement leur végétation. Par contre, au redémarrage de celle-ci, les feuilles tomberont. Au contraire, le même bonsaï acheté dans un magasin, et « oublié » pendant deux heures, en été, dans une voiture fermée, en plein soleil (température pouvant dépasser 60 °C) sera définitivement perdu.

▶ Un Vitex, arbre
d'origine chinoise.

Voici donc un conseil pratique à ceux qui doivent partir pendant 2 ou 3 jours lorsqu'il fait très chaud et qui ne peuvent pas faire garder leur bonsaï : placez celui-ci dans l'endroit le plus frais et le plus sombre de votre logement. Il perdra un peu de feuilles, mais il ne séchera pas.

Maintenant, comment savoir si le moment est venu d'arroser ? C'est la texture et la couleur de la terre qui l'indiquera. Si la terre est sombre et humide au toucher, il est inutile d'arroser. Un substrat constamment mouillé entraînera en effet un pourrissement des racines. Si la terre devient claire et sèche, il est temps d'apporter à l'arbre l'eau dont il a besoin. *A fortiori*, si le substrat se rétracte et laisse apparaître un espace entre lui et la poterie, il devient urgent d'arroser. En fait, l'arbre nous montre quand il a soif. La texture de la terre (humide ou sèche), la consistance de ses feuilles et de ses tiges (fermes ou ramollies), sont autant de signes qu'il suffit de « lire ». Certaines personnes pensent d'ailleurs qu'il faut parler aux plantes (et aux bonsaï) pour qu'elles se développent de manière harmonieuse ! En fait, ce sont les plantes qui nous parlent, il suffit d'être observateur et attentif aux signes qu'elles nous donnent !

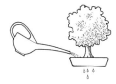

▶ COMMENT ARROSER ?

Le bonsaï doit être arrosé par le dessus, jusqu'à ce que l'eau s'écoule bien par les trous de drainage situés sous le pot. Ce n'est qu'à ce moment-là qu'on peut être sûr que l'ensemble de la motte est bien mouillée. Ce point est important, car si on n'apporte qu'une petite quantité d'eau, celle-ci ne pénétrera pas jusqu'au fond, et les racines profondes sécheront, entraînant la mort des branches qu'elles alimentent.

Attention cependant à un petit détail pratique : si on place une soucoupe sous la poterie du bonsaï, afin de ne pas mouiller le meuble ou la table où celui-ci est posé, il faudra veiller à vider l'eau en excès qui aura coulé par les trous de drainage. Si celle-ci reste dans la soucoupe, elle risque de tremper en permanence le fond du pot, et de faire pourrir ainsi les racines.

En résumé, le bonsaï n'a donc pas besoin d'un petit peu d'eau, comme certains le croient. Il doit être arrosé complètement et aussi souvent qu'il en a besoin.

▶ DEUX IDÉES REÇUES

Il faut également mentionner deux idées reçues qu'il faut impérativement oublier : le bain par immersion, et la pulvérisation du feuillage.

Le bain par immersion

Certains préconisent, pour arroser les bonsaï, de les placer dans une cuvette remplie d'eau, le niveau de celle-ci dépassant celui du pot. Cette méthode est dangereuse si elle est utilisée trop souvent, car elle entraîne un tassement de la terre, et à la longue, une asphyxie des racines, et leur pourrissement.

Cette méthode de l'immersion constitue un « mal nécessaire » dans un seul cas : pour un bonsaï d'intérieur, dont le substrat d'origine chinoise est constitué d'une argile dure et compacte. Dans ce cas, et dans ce cas seulement, il ne reste pas d'autre solution pour l'humidifier en profondeur que de baigner complètement le pot pendant plusieurs minutes. Mais comme nous le verrons plus loin, cette argile compacte qui convient bien à un bonsaï vivant dans une atmosphère

très humide (climat de l'Asie du Sud Est) est totalement inadaptée à la sécheresse de nos intérieurs. Il faudra donc lui préférer, chaque fois que cela est possible, le même bonsaï rempoté dans un substrat aéré et poreux, et acclimaté depuis plusieurs mois.

La pulvérisation du feuillage

Cette méthode constitue une autre idée reçue : elle viserait à reproduire, de manière artificielle, l'hygrométrie élevée que le bonsaï d'intérieur connaît dans sa région d'origine. En fait, la pulvérisation périodique du feuillage est totalement inefficace en atmosphère sèche. En effet, les feuilles possèdent à leur surface des petites alvéoles appelées stomates. Celles-ci permettent les échanges gazeux et l'évaporation de l'eau contenue dans les feuilles. Les stomates s'ouvrent en atmosphère humide, et se ferment quand l'air est sec. Si on pulvérise l'arbre, les stomates s'ouvrent avec un temps de retard. L'air ambiant redevient assez rapidement sec, mais les stomates vont rester ouverts pendant un temps assez long. Le bonsaï se met alors à transpirer de manière importante, et perd ainsi par évaporation beaucoup d'eau. Il est donc plus sensible au stress hydrique.

La pulvérisation n'est souhaitable que dans un seul cas : lorsque le bonsaï a souffert d'un manque d'eau de manière importante. Il peut être alors nécessaire de compléter l'arrosage de la terre par celui du feuillage, car les radicelles endommagées ne pourront absorber l'eau que difficilement. En effet, pour utiliser une comparaison imagée, il se trouve dans le même cas qu'un homme ayant passé deux jours en plein désert sans boire. Si on lui fait ingurgiter d'un seul coup plusieurs litres d'eau, il risque d'en mourir.

Donc, seulement dans le cas d'une soif prolongée ou d'un « coup de chaud » très violent, on procédera à un bassinage du feuillage. Le bassinage est plus qu'une simple pulvérisation. Il s'agit d'arroser copieusement les feuilles jusqu'au ruissellement. De cette manière, on apporte provisoirement à l'arbre la fraîcheur et l'eau que ses radicelles ne peuvent plus capter. On arrosera de toute façon normalement par le sol.

Mais pour reprendre la comparaison entre l'arbre et l'être humain, une évidence doit rester présente à l'esprit : jamais une douche ne remplacera l'eau que l'on boit ! L'expérience nous montre que le cas le plus fréquent de mort des bonsaï est la noyade. Après avoir souffert d'une sécheresse prolongée, si on inonde complètement la terre, les racines ne pouvant plus absorber l'humidité pourrissent. L'arbre meurt alors d'un excès d'eau.

Pour finir, une mention particulière concernant la qualité de l'eau : la température de celle-ci devra être voisine de celle du substrat. Une eau trop chaude ou trop froide pourra endommager les racines. L'eau du robinet étant souvent très chargée en chlore, on la laissera reposer un certain temps dans l'arrosoir afin de laisser évaporer celui-ci. Enfin, l'excès de calcaire peut provoquer des déséquilibres dans l'absorption des éléments nutritifs. On pourra alors, soit arroser avec une eau faiblement minéralisée (eau de Volvic), soit corriger l'excès de calcaire par des apports réguliers en fer et en magnésium *(voir p. 26)*.

CE QU'IL FAUT RETENIR SUR L'ARROSAGE

- Arroser par la surface de la terre, jusqu'à ce que l'eau s'écoule bien par les trous de drainage au fond du pot.

- Ne pulvériser le feuillage qu'en cas de sécheresse prolongée ou de fort coup de chaleur. Arroser de toute façon normalement par le sol.

- Fréquence des arrosages : elle peut être très variable. Elle dépend de l'emplacement, de la luminosité et de la chaleur. On ne peut donc pas fixer à l'avance la périodicité des arrosages. C'est l'arbre, et lui seul, qui nous indique quand il a soif. Pour cela, observer la couleur et la texture de la terre (humide ou sèche) ainsi que la consistance des feuilles (fermes et dressées, ou molles et retombantes).

- Attendre que la terre sèche légèrement en surface avant d'arroser à nouveau. Arroser un bonsaï qui n'a pas bu l'eau du substrat (terre toujours mouillée) entraînera un pourrissement des racines.

LE SOL

Pour un arbre vivant en pleine nature, le sol remplit deux fonctions essentielles :
– Tout d'abord, il constitue le milieu physique où il peut s'ancrer, et où ses racines pourront pousser et se développer à leur aise.
– Ensuite, il remplit une fonction nourricière. C'est dans la terre que l'arbre puise l'eau et la quasi-totalité de ses éléments nutritifs.

▲ La terre doit assurer avant tout un bon développement des racines.

Mais, pour un bonsaï, étant donné le volume limité du pot, la terre constitue plus un support qu'une réserve de nourriture. Le rôle nourricier du sol sera donc dévolu à l'engrais *(voir plus loin)*. C'est pour cela qu'on utilise plus volontiers le terme de « substrat ». La fonction de celui-ci sera d'assurer le développement aisé des racines, la bonne circulation de l'eau, les échanges gazeux des radicelles et l'assimilation de la nourriture fournie par l'engrais. Ses qualités physiques, voire mécaniques (porosité, drainage) seront donc primordiales. De même, il devra faciliter les échanges d'éléments nutritifs avec les racines. Pour cela, son Ph (degré d'acidité) et celui de l'eau d'arrosage devront être conformes aux besoins de la plante.

Dans la pratique, lorsqu'on devra changer la terre d'un bonsaï, on se trouvera confronté à un choix entre deux qualités apparemment contradictoires : la porosité et la capacité de rétention en eau. La première assure à l'arbre un développement optimal des racines, alors que la deuxième lui donne une réserve en eau, une « autonomie » plus importante. Certains mélanges incorporant de l'Akadama *(voir p. 43)* permettent de résoudre ce dilemme.

CE QU'IL FAUT RETENIR SUR LE SOL

• Pour un bonsaï, la terre devant assurer avant tout le bon développement des racines, on devra donc toujours préférer un substrat poreux et aéré à une terre lourde et compacte.

• Les bonsaï d'importation, conditionnés dans leur argile d'origine, seront donc à éviter. On leur préférera des bonsaï rempotés depuis plusieurs mois, et au système racinaire bien développé.

LES ENGRAIS

Comme tout végétal, le bonsaï a besoin de nourriture pour vivre et se développer. Mais, contrairement aux arbres vivant en pleine nature, le volume limité de son pot fait qu'il épuise rapidement les sels minéraux contenus dans la terre. Il faudra donc impérativement lui apporter de l'engrais. Rappelons encore une fois que, contrairement aux idées reçues, le bonsaï n'est pas un arbre diminué ou artificiellement affaibli. Il doit être vigoureux et en bonne santé, et se développer correctement. L'engrais devra donc lui apporter les éléments essentiels correspondant à ses préférences (azote, phosphore, potasse), chaque espèce ayant des besoins différents :

– **L'azote (N)** : il active la croissance des feuilles. S'il en manque, les feuilles jaunissent. En excès, il entraîne la formation de grandes feuilles et des entre-nœuds longs.

– **Le phosphore (P)** : il active la formation des racines et des fleurs. S'il en manque, la croissance générale ralentit.

– **La potasse (K)** : elle augmente la résistance aux maladies, aux parasites et aux intempéries. Elle aide à la formation des fruits et à la lignification. Elle permet également aux bonsaï de faire des entre-nœuds plus courts.

Les oligo-éléments, tels que le fer, le magnésium, le calcium, le cuivre, le zinc et le manganèse sont également indispensables. Ils agissent à des doses extrêmement faibles avec une grande efficacité, principalement comme catalyseurs du métabolisme végétal.

Parmi les oligo-éléments, mentionnons principalement l'interaction entre le calcium, le fer et le magnésium. L'absence totale de calcium, due, par exemple, à un arrosage à l'eau de pluie ou à l'eau distillée, diminue la résistance du bonsaï aux maladies et aux parasites. Mais son excès, souvent rencontré dans l'eau du robinet, réduit l'assimilation de la potasse, du fer et de magnésium, et provoque un palissement des feuilles (chlorose). Un excès de calcaire dans l'eau devra donc être compensé par des apports en fer et en magnésium.

Dans la pratique, les besoins nutritifs varient de manière importante, d'une espèce à l'autre. Un seul engrais ne pourra donc convenir à tous les bonsaï. Selon les cas, on apportera un engrais relativement plus riche en azote, phosphore, ou potasse *(voir Fiches de culture par espèce)*. À moins de posséder une bonne expérience en la matière, il est recommandé d'utiliser des engrais spécialement conçus pour les bonsaï, et de les utiliser aux doses indiquées. Attention aux excès, qui en augmentant la concentration en sels minéraux dans l'eau du substrat, peuvent provoquer un dessèchement et la mort de l'arbre. Ceci est dû au phénomène d'osmose, qui fait aller la sève (moins concentrée) vers le substrat (plus concentré). Bien qu'arrosé, le bonsaï meurt alors de soif.).

Pour les bonsaï d'intérieur, la croissance s'effectuant « en continu », on apportera de l'engrais toute l'année.

Pour les bonsaï d'extérieur, la fertilisation se fera pendant la période de végétation, du printemps à l'automne, à l'exception de la période de forte chaleur en été. Pour ces espèces, on pourra également utiliser l'engrais organique en boulettes (d'origine japonaise). Celui-ci est à placer à la surface du sol, et se dissout lentement avec l'eau d'arrosage.

CE QU'IL FAUT RETENIR SUR L'ENGRAIS

- Sans nourriture, tout végétal dépérit. Sans engrais, le bonsaï s'affaiblira encore plus vite, étant donné le faible volume de son pot. Il faut donc lui apporter régulièrement les éléments nutritifs correspondants à ses besoins. Ceux-ci variant d'une espèce à une autre, on préférera toujours des engrais différenciés et adaptés à chaque variété.

- Enfin, une eau trop calcaire devra être corrigée par des apports réguliers en fer et magnésium, afin d'éviter la chlorose.

Les techniques

Après avoir vu comment cultiver les bonsaï, et examiné les moyens permettant de les maintenir vigoureux et en bonne santé, nous allons maintenant passer en revue les techniques particulières qui font que le bonsaï peut être considéré comme un art à part entière. Celles-ci permettent de faire d'un simple petit arbre vivant dans un pot une évocation saisissante de la beauté de la nature, bien au-delà d'une simple reproduction en miniature.

Contrairement aux techniques de culture, qui sont communes à tous les végétaux, celles que nous allons examiner maintenant sont propres aux seuls bonsaï. Elles sont le fruit d'une tradition séculaire et visent essentiellement à les former, et à maintenir ou à modifier leur structure et leur apparence. À ce stade, on pourra réellement parler « d'œuvre d'art vivante ».

Ces techniques propres au bonsaï sont : la taille de structure, la taille d'entretien, le pincement et le rempotage. Rappelons encore une fois que ces techniques ne pourront être appliquées qu'à un arbre en bonne santé et vigoureux, pour lequel on aura au préalable respecté les règles élémentaires de culture.

▼ Un érable Palmatum en automne.

de base

GÉNÉRALITÉS SUR LA TAILLE

Pour le grand public, la taille constituerait l'aspect le plus représentatif de l'art du bonsaï, et revêtirait un caractère mystérieux et compliqué, réservé aux seuls initiés. Il n'en est rien. Ce n'est qu'une des phases de l'entretien de l'arbre, et probablement la plus facile. Dans la plupart des cas, elle est très simple, et à la portée de n'importe qui. Les questions qui se posent au néophyte sont : pourquoi tailler, à quel moment, comment et à quel endroit ?

▶ POURQUOI TAILLER ?

Le but de la taille est de donner ou de conserver à l'arbre sa forme et sa structure et de limiter la croissance de ses pousses, sous peine de lui voir perdre ses proportions.

Dans la pratique, il existe quatre formes de taille :

– **La taille de structure** : elle vise à donner à l'arbre sa forme de base et la distribution de ses principales branches charpentières. Elle s'applique aux jeunes bonsaï, aux arbres prélevés dans la nature, et aux arbres plus âgés qui auraient perdu au fil des ans leur structure et leur caractère.

– **La taille d'entretien** : elle sert à maintenir la forme générale de l'arbre, et à lui conserver ses proportions harmonieuses. Elle s'applique à tous les bonsaï déjà formés.

– **Le pincement et l'exfoliation** : ces deux formes particulières de taille sont moins fréquentes et, à priori, réservées aux amateurs bénéficiant d'une certaine expérience. Elles visent à donner au bonsaï une ramification de plus en plus fine, et des feuilles de plus en plus petites. Elles ne s'appliquent pas à toutes les espèces, et sont limitées à certaines périodes de la formation de l'arbre.

▲ Pour les bonsaï d'extérieur, la taille d'entretien s'effectue au printemps, en période de croissance. Pour les bonsaï d'intérieur, elle peut se pratiquer toute l'année.

▶ **QUAND TAILLER ?**

– Seuls les bonsaï d'intérieur dont la croissance est continue, seront taillés tout au long de l'année.

– Pour les bonsaï d'extérieur, la taille de structure s'effectuera à la fin de l'hiver, ou juste avant la montée de sève, au début du printemps (cas du prélèvement dans la nature).

La taille d'entretien s'effectuera pendant la période de croissance, du début du printemps au milieu de l'été, exception faite de certaines espèces (Hêtre, Pin *Pentaphylla*, ou Épicéa) qui ne peuvent en général bourgeonner qu'une fois par an. Dans le cas particulier des bonsaï d'extérieur à fleurs, on ne taillera qu'après la floraison, à moins d'être dans la phase de formation. Sinon, les bourgeons à fleurs se transformeront en bourgeons à feuilles.

Avant d'examiner plus en détail les différents types de taille, il faut également mentionner les cas où il ne faut pas tailler :

– Lorsque les racines de l'arbre sont endommagées. En effet, il faut avant toute chose permettre la croissance de nouvelles radicelles. Or ce sont les feuilles, génératrices de sève élaborée, qui permettront au système racinaire de se régénérer.

– Lorsqu'on désire faire épaissir une branche jugée trop mince. Dans ce cas, on laissera pousser celle-ci jusqu'à ce qu'elle ait atteint le diamètre souhaité. Cette méthode est parfois spectaculaire.

Enfin, à part quelques très rares exceptions, les arbres ont une croissance plus forte à la cime qu'à la base. On taillera donc de manière plus importante le sommet du bonsaï que ses branches basses.

LA TAILLE DE STRUCTURE

Ce chapitre ne concerne que la création d'un bonsaï à partir d'un jeune plant, ou la transformation d'un sujet déjà âgé, afin de lui redonner son caractère perdu. La taille de structure permet de définir la forme et l'aspect général de l'arbre. Comme nous l'avons vu dans le chapitre consacré à l'esthétique du bonsaï, celui-ci doit répondre à certains critères de base.

Les proportions des différentes parties de l'arbre et la distribution de ses branches principales lui imprimeront son style et son caractère. Mais on ne peut pas aller contre sa nature. Il serait stupide de vouloir transformer un Hêtre ou un Zelkova, dont le port naturel est vertical (forme en balai, forme strictement verticale ou forme MOYOGI) en une cascade. À l'inverse, un Genévrier de Chine aura rarement une forme CHOKKAN (strictement verticale), plutôt « raide » et inadaptée à son style naturel. Le choix de la face, la distribution des branches charpentières et le dessin général de l'arbre devront donc révéler le caractère naturel de l'espèce et le mettre en valeur.

Une fois qu'on aura choisi les branches charpentières, on sélectionnera quelques branches secondaires, en ne gardant que quelques bourgeons à leur base.

D'une manière générale, pour la taille de structure comme pour la taille d'entretien, on essayera de ne garder que deux branches à chaque stade de la ramification.

PRINCIPE

Lorsqu'on crée un bonsaï à partir d'un jeune plant de pépinière ou d'un prélèvement dans la nature, on doit déterminer en premier lieu quelle sera sa face, et comment seront positionnées ses principales branches et sa cime. On supprimera les branches mal positionnées ou en surnombre, afin d'obtenir un dessin général simple et harmonieux.

En effet, s'il y a trois ramifications ou plus, qui démarrent au même endroit, les plus faibles disparaîtront inévitablement, à terme. En attendant, elles auront pénalisé les plus fortes, en leur ôtant de la vigueur. Ce principe de base est valable pour la taille de structure comme pour celle d'entretien. Nous l'appellerons, par commodité, « ramification deux par deux ». En résumé, le but principal de la taille de structure est donc de créer une forme simple et épurée. Le rythme exprimé par la ligne du tronc et par la répartition harmonieuse des branches principales est primordial.

▼ Un Orme de Taïwan avant la taille de structure. Son feuillage est devenu trop dense.

▼ L'arbre avec la moitié droite taillée. Cette mise en scène sert à visualiser la différence de volumes de feuillage avant et après la taille.

◄ On utilise une pince concave pour la taille. Le but est de simplifier la structure de la ramure.

◄ L'Orme à la fin de la taille de structure.

LA TAILLE D'ENTRETIEN

Son but est de maintenir la forme générale de l'arbre dans les limites déterminées par la taille de structure. Les branches principales et secondaires ayant été choisies, les ramifications suivantes devront être contenues dans un volume donné, sinon l'arbre perdra ses proportions. La taille d'entretien limitera donc la croissance des pousses et permettra de cette manière une ramification plus dense. En effet, chez toutes les espèces d'arbres, la taille des rameaux provoque l'éclosion de nouveaux bourgeons, situés à l'aisselle des feuilles restantes. Mais pour que cette ramification s'effectue pleinement, il faut que ces bourgeons axillaires soient suffisamment formés. Il faudra donc bien laisser pousser le rameau (au minimum 6 à 8 feuilles, ou paires de feuilles) avant de le rabattre sévèrement à 2 ou 3 feuilles. Dans la pratique, on attendra même que la pousse soit lignifiée. À ce stade, les bourgeons seront suffisamment forts pour développer une nouvelle ramification. De cette manière, on pourra obtenir, chez certaines espèces, plusieurs ramifications dans la même saison, alors qu'à l'état naturel, il aurait fallu attendre l'année suivante pour y arriver. Il ne faut donc pas tailler trop souvent. Même si l'arbre paraît parfois « hirsute », il faut attendre que les nouvelles pousses soient suffisamment longues et vigoureuses avant de les rabattre sévèrement.

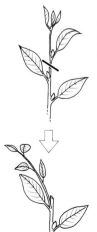

À ne pas faire :
Taille trop précoce
Une seule ramification, à l'aisselle de la dernière feuille. On n'obtient qu'un simple allongement du rameau.

À faire :
Taille retardée
Une ramification à l'aisselle de chacune des feuilles subsistantes. On obtient ainsi un feuillage plus dense.

EXEMPLE DE TAILLE RETARDÉE D'UN ORME DE TAÏWAN

En laissant pousser longuement les rameaux,
on multiplie les canaux de sève qui les alimentent.

▲ Un Orme de Taïwan
avant la taille retardée.

▶ Le même
après la taille.

EXEMPLE DE TAILLE RETARDÉE D'UN SAGERETIA

On favorise ainsi la formation de bourgeons axilliaires.

Après la taille, la ramification s'en trouvera renforcée.

▼ Un *Sageretia* avant la taille retardée.

▶ Le même après la taille.

La taille s'effectuera de manière différente selon les espèces. Nous distinguerons d'abord les feuillus des conifères.

▶ **TAILLE DES FEUILLUS**

(Arbres d'extérieur à feuilles caduques, et arbres d'intérieur). Deux cas différents se présentent :

Arbres à feuilles doubles (paires de feuilles)

On laissera le rameau pousser jusqu'à au moins 6 à 8 paires de feuilles, avant de le rabattre à la première paire de feuilles (parties vigoureuses de l'arbre) ou à la deuxième paire de feuilles, pour les autres parties de l'arbre (branches basses, centre de la ramure).

Arbres à feuilles alternées

On laissera le rameau pousser jusqu'à un minimum de 6 à 8 feuilles, avant de le raccourcir à la deuxième ou à la troisième feuille. Le choix entre la deuxième ou la troisième feuille est déterminé par l'orientation de cette dernière. Celle-ci doit toujours être dirigée vers le bas ou vers l'extérieur de la ramure. Sur les parties les moins vigoureuses de l'arbre (branches basses et intérieur de la ramure), le choix se fera entre la troisième et la quatrième feuille, afin de laisser plus de force au rameau.

▲ Ficus de Formose.

À ne pas faire	À faire
	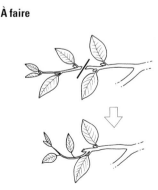

► **TAILLE DES CONIFÈRES**

Nous distinguerons trois types de taille pour cette famille d'arbres.

1. Pins à deux aiguilles : Pin Sylvestre, P. Mugho, P. noir ou de Thundberg, P. rouge ou *Densiflora*.

Ces espèces à croissance rapide, peuvent émettre de nouvelles pousses après la taille. Lorsque les chandelles sont suffisamment développées (de la fin mai à la mi-juin, selon les régions), on les supprimera complètement avec des ciseaux. Mais, pour égaliser la croissance future des différentes pousses, en fonction de leur vigueur, on procédera en deux étapes :

Dans un premier temps, on supprimera les chandelles les moins vigoureuses.

Environ quinze jours plus tard, on coupera les chandelles les plus fortes.

De cette manière, les pousses les moins vigoureuses ont le temps de former des bourgeons plus forts, et prennent ainsi de « l'avance » sur les pousses les plus vigoureuses.

Ainsi, on obtiendra une croissance régulière et équilibrée de tous les bourgeons, en égalisant leur vigueur.

Quelques semaines plus tard, lorsque les nouveaux bourgeons apparaîtront, on en supprimera une partie afin d'obtenir une ramification « 2 par 2 ».

À l'automne, on éliminera les plus vieilles aiguilles (celles qui tomberaient naturellement pendant l'hiver), afin de laisser passer la lumière dans la partie centrale de la ramure. Cela favorisera la repousse de nouveaux bourgeons sur le vieux bois.

2. Pins à cinq aiguilles : Pin *Pentaphylla*, ou Pin blanc du Japon

Cette espèce, très appréciée des amateurs, a une croissance plus lente que les espèces à deux aiguilles. Contrairement à ces dernières, il ne faut donc pas supprimer complètement les chandelles, sous peine de compromettre la pousse des nouveaux bourgeons. On procédera de la manière suivante :

Au printemps, avant la croissance des chandelles, on sélectionnera les bourgeons pour obtenir une ramification « 2 par 2 ».

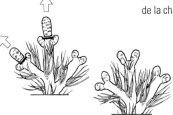

Vers les mois d'avril ou mai (suivant les régions), on taillera les pousses qui se sont formées, juste avant que les aiguilles ne s'écartent du corps de la chandelle.

On procédera de manière sélective, en utilisant les doigts, pour ne pas endommager les aiguilles : tailler des 2/3 les chandelles les plus fortes, de 1/2 les moyennes, de 1/3 ou pas du tout les plus faibles.

Le choix des différents types de chandelles se fera bien sûr en fonction de leur degré de croissance, c'est-à-dire de leur longueur. Mais il faudra tenir compte également de leur emplacement dans la ramure. Les parties basses de l'arbre et l'intérieur de la ramure sont, comme on le sait, moins vigoureux que la cime ou les extrémités des branches. On pourra donc tailler moins sévèrement une chandelle de vigueur moyenne dans la partie basse de l'arbre, que la même, située dans la partie haute. Comme pour les pins à deux aiguilles, on procédera en automne à un nettoyage des vieilles aiguilles.

3. Autres conifères : Épicéa, Genévrier de Chine, *Chamaecyparis*, Mélèze, *Cryptoméria*, Cèdre

Pour ces espèces, on utilisera la méthode du pincement (*voir page suivante*) de préférence à la taille. Le Genévrier de Chine, en particulier, pousse en continu du printemps à l'automne. Le pincement se fera donc durant toute cette période afin de densifier la ramure, et pour lui garder sa compacité.

LE PINCEMENT

Contrairement à la taille d'entretien classique, le pincement consiste à supprimer les nouvelles pousses juste après le bourgeonnement, et avant qu'elles ne s'allongent. En enlevant le bourgeon terminal, on force l'arbre à développer ses bourgeons secondaires. On favorise ainsi l'apparition de nouvelles pousses moins vigoureuses et plus nombreuses. On obtiendra de cette manière une ramification plus fine, des feuilles plus petites, et des entre-nœuds plus courts. Pour cela, on utilisera les doigts ou des pincettes, contrairement a la taille classique, où l'on opère avec des ciseaux.

Cette technique est utilisée dans deux cas bien distincts :
– À cause de la nature même du feuillage, très serré ou formé d'écailles (Épicéa, Genévrier de Chine, *Chamaecyparis*, *Cryptomeria*).
– Ou dans le but de limiter volontairement la croissance des nouvelles pousses et la longueur des entre-nœuds (Érable *Palmatum*, Érable de Burger, Hêtre).

Premier cas : Genévrier de Chine, Épicéa, *Chamaecyparis*, *Cryptomeria*

Ces espèces possèdent un feuillage dont la texture est très serrée. L'utilisation de ciseaux entraînerait alors une détérioration de celui-ci. On opérera donc avec l'extrémité des doigts, en tirant simplement le bout de la pousse.

Genévrier de Chine :
Après avoir ramassé une partie du feuillage avec une main, on éliminera les pousses qui dépassent avec les doigts de l'autre main.

Épicéa : Les nouvelles pousses encore tendres doivent être pincées et tirées entre le pouce et l'index, afin de ne pas endommager les feuilles restantes.

Deuxième cas : Érable *Palmatum*, Érable de Burger, Hêtre

Pour ces espèces, on n'utilise le pincement que sur des bonsaï déjà bien structurés, et dont les branches maîtresses et la ramification secondaire sont déjà formées.

En supprimant les nouvelles pousses (érable)

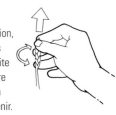

ou une partie de celles-ci (hêtre) au moment de leur éclosion, et donc avant qu'elles ne s'allongent, on limite ainsi la longueur future des entre-nœuds et la taille des feuilles à venir.

Mais en procédant de cette manière, les nouveaux bourgeons et les nouvelles feuilles qui se formeront seront beaucoup moins vigoureux. C'est pourquoi on ne pincera ces variétés que sur des sujets déjà bien formés, et dont on veut améliorer la finition. On ne le fera jamais sur un jeune arbre dont la structure (branches principales et branches secondaires) n'est pas achevée. *(Outils : pincette, voir rabat en fin d'ouvrage.)*

LE REMPOTAGE

Un bonsaï ne peut pas rester dans le même sol au-delà de quelques années. En effet, à la longue, le substrat perd ses qualités d'origine. Il devient trop compact, et sa perméabilité à l'air et à l'eau s'en trouve diminuée. Dans certains cas, c'est la terre d'origine du bonsaï (arbres importés de Chine ou de Taïwan) qui pose problème. S'il s'agit d'argile compacte ou sablonneuse, un rempotage s'impose rapidement, car ces substrats sont tout à fait inadaptés à nos conditions climatiques. Il en est de même lorsque l'arbre a été rempoté d'origine dans de la tourbe (longues fibres blondes ou brunes), car celle-ci ne possède aucun élément nutritif et est délicate à arroser.
Le but du rempotage est également d'assurer un renouvellement

des racines et des radicelles. En effet, au bout de quelques années, celles-ci, à force de se développer, envahissent tout l'espace disponible dans le pot. L'arrosage devient alors difficile. On devra donc tailler une partie des racines *(voir plus loin)*, afin d'assurer leur renouvellement. On estime d'ailleurs qu'une des raisons de la longévité potentiellement élevée d'un bonsaï (par rapport au même arbre vivant en pleine terre) serait due au fait qu'on le force à régénérer régulièrement son système racinaire.

La taille d'une partie des racines permet également à celles-ci de se ramifier. Or, comme nous le savons déjà, il y a une correspondance directe entre les parties aériennes et souterraines de l'arbre. Une bonne ramification des racines favorisera celle des branches qui leur correspondent. Par contre, il faut mentionner ici deux fausses idées largement répandues :

– La taille des racines n'a aucune influence sur la miniaturisation du bonsaï. C'est uniquement la taille régulière des branches et des rameaux qui lui conserve son aspect petit.

– D'autre part, on n'est pas obligé, à chaque fois que l'on rempote un bonsaï, de choisir une coupe plus grande que la précédente. La taille de celle-ci répond uniquement à des critères esthétiques tenant à ses proportions avec la hauteur et le volume de l'arbre *(voir p. 31)*.

Enfin, la fréquence des rempotages dépend de :

– L'âge de l'arbre : un jeune sujet se rempotera tous les deux ou trois ans, alors qu'un bonsaï âgé pourra rester plus longtemps (cinq ans ou plus) dans le même sol.

– L'espèce : un Érable de Burger ou un *Ligustrum*, par exemple, auront une croissance des racines beaucoup plus rapide qu'un Pin.

– Le volume du pot : dans une coupe petite ou très plate, les racines seront plus rapidement à l'étroit.

▶ **LA TERRE**

Elle doit répondre à plusieurs exigences physiques et chimiques :

– Sa granulométrie doit assurer une bonne porosité et une bonne aération du substrat.

– Elle doit retenir l'eau, mais pas de manière excessive, sous peine d'asphyxier les racines.

– Son Ph (degré d'acidité) doit correspondre aux exigences de l'arbre.

– Enfin, elle doit avoir une bonne capacité à retenir les éléments nutritifs délivrés par l'engrais, et à les restituer aux radicelles (« pouvoir tampon »).

Dans la pratique, on trouvera chez les professionnels du bonsaï ou dans les jardineries d'excellents mélanges de terre prêts à l'emploi. Pour ceux qui souhaiteraient faire eux-mêmes leur propre mélange, le substrat-type se composera de trois éléments :

– La terre argileuse : elle a une forte capacité de rétention en eau, et un « pouvoir tampon » élevé. Cette dernière faculté lui permet d'absorber les éléments nutritifs, et de les restituer ensuite à l'arbre.

– Le sable : de granulométrie moyenne ou forte (diamètre des grains : de 2 à 5 mm), il permet une bonne aération du sol, et une porosité correcte du mélange, gage d'un bon développement des racines.

– Le terreau : constitué d'humus végétal, il permet à l'arbre d'absorber l'azote, par son activité bactérienne.

Ces trois composants, associés en parts égales (un tiers de chacun) constituent un bon mélange de base, pouvant convenir à la plupart des variétés. Cependant, pour les conifères, qui exigent un substrat très drainant, on augmentera la proportion de sable jusqu'à 50 % ou 70 % du mélange. Enfin, l'acidité de la terre, mesurée par son Ph, doit correspondre aux exigences de l'arbre. Un mélange légèrement acide (Ph de 6,5) conviendra à la plupart des variétés. Mais pour les plantes acidophiles (Rhododendrons, Azalées), on rajoutera de la tourbe au mélange de base.

Enfin, une mention particulière concernera l'Akadama. Cette terre endogène, provenant du Japon, est bien connue des amateurs. D'origine volcanique, elle se compose de grains de différents calibres, de couleur beige, et qui ont l'apparence de l'argile. Elle est utilisée pour ses qualités mécaniques exceptionnelles. Ses grains ont en effet une forte capacité de rétention en eau, tout en gardant leur forme, sans s'écraser ni s'agglomérer. Ils réunissent donc deux qualités apparemment contradictoires : l'absorption élevée de l'eau, et l'aération du substrat. On peut donc en incorporer au mélange de base, afin d'améliorer le drainage, tout en assurant une bonne rétention de l'eau. Pour les plantes acidophiles, on utilisera une terre légèrement différente de l'Akadama, appelée Kanuma, dont les qualités mécaniques sont identiques, mais plus acide.

▶ COMMENT REMPOTER ?

Après avoir dépoté le bonsaï, on enlèvera la vieille terre en veillant à ne pas endommager les fines radicelles. En effet, ce sont ces dernières, à peine plus épaisses qu'un cheveu, qui assureront à l'arbre sa reprise après le rempotage. Afin de détacher plus facilement la terre, on laissera sécher un peu la motte, juste assez pour ne pas stresser l'arbre.

Avec une griffe, on démêlera d'abord le chevelu de racines en essayant d'enlever au maximum le vieux substrat. En effet, le nouveau mélange devra être le plus homogène possible. S'il reste au centre de la motte une masse de terre d'une consistance et d'une texture différente (surtout s'il s'agissait d'argile), on aura par la suite des risques de disparité dans l'humidification ou l'assèchement du sol. Pour certaines variétés, comme le Hêtre, les Pins ou les Genévriers, on incorporera au nouveau mélange une petite partie de l'ancienne terre. Celle-ci contient en effet des Mycorhizes (champignons utiles à l'arbre, et vivant en symbiose avec les racines) qui sont nécessaires à l'assimilation future de certains éléments nutritifs.

Après avoir démêlé les racines, on taillera les plus longues, en veillant à conserver les plus courtes ainsi que le maximum de radicelles. Dans l'ensemble, selon l'état de l'arbre, on retirera entre le tiers et la moitié de la masse de racines. Cependant pour les conifères, on ne taillera au maximum qu'un tiers de celles-ci.

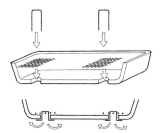

Placer des grilles de drainage (achetées prêtes à l'emploi ou découpées dans de la moustiquaire en plastique) que l'on fixera éventuellement avec des cavaliers en fil d'aluminium.

Il est souhaitable également d'utiliser un fil métallique afin d'arrimer solidement l'arbre à la fin du rempotage. On le passera à travers les trous des grilles de drainage.

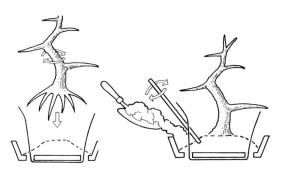

Former ensuite un monticule du nouveau mélange au fond de la coupe, puis placer l'arbre dessus. On l'enfoncera légèrement dans la terre en le « vissant ». Ceci permet d'éviter la présence de poches d'air sous les racines.

Rajouter le reste de la terre que l'on fait glisser entre les racines à l'aide d'une baguette en bois.

Fixer enfin l'arbre solidement en liant les extrémités du fil d'arrimage au niveau du collet (base de l'arbre).

Ce fil pourra être enlevé au moyen d'une pince coupante, deux à trois mois plus tard, lorsque l'arbre sera solidement ancré par ses nouvelles racines. On arrosera ensuite copieusement le nouveau mélange, jusqu'à ce que l'eau s'écoule bien par les trous de drainage. Le rempotage est fini. Il faut maintenant placer l'arbre dans un endroit clair, mais pas en plein soleil. L'idéal est que son feuillage (s'il en a) soit au frais et que son pot soit au chaud. La chaleur de la terre favorise en effet la pousse des nouvelles radicelles.

S'il s'agit d'un bonsaï d'intérieur ou d'un conifère, le feuillage pourra exceptionnellement être vaporisé, afin de lui apporter l'humidité que les racines ne peuvent pas encore fournir de manière suffisante. On aura au préalable diminué un peu la masse du feuillage par une taille des rameaux, afin de l'équilibrer avec la taille des racines.

Si c'est un arbre à feuilles caduques, les feuilles ne seront pas encore écloses *(voir ci-dessous « Quand rempoter »)* et on le placera à l'abri des intempéries (gel, vent, plein soleil).

Il ne faut pas donner d'engrais dans le mois qui suit le rempotage. La seule exception concerne un apport unique d'un engrais riche en phosphore juste après le rempotage afin de favoriser la repousse des radicelles.

▶ QUAND REMPOTER ?

Pour les bonsaï d'intérieur, le rempotage peut théoriquement être fait tout au long de l'année. Dans la pratique, cependant, on essayera d'éviter les fortes chaleurs de l'été ainsi que les périodes d'ensoleillement minimum de l'hiver. En effet, dans le premier cas, ces périodes correspondent au moment où le bonsaï consomme le plus d'eau et en perd le plus par transpiration. Ses racines diminuées et stressées par le rempotage auraient du mal à subvenir à ses besoins. De même, dans le deuxième cas, l'activité et la vigueur de l'arbre étant fonction de la luminosité *(voir p. 17)*, on préférera attendre que la durée d'ensoleillement rallonge.

Pour les bonsaï d'extérieur, la période la plus favorable est la

EXEMPLE DE REMPOTAGE D'UNE FORÊT

Forêt de *Celtis sinensis* au printemps, avant le démarrage de la végétation.

Le pain de racines et de radicelles est devenu trop dense. Il est grand temps de rempoter.

Gros plan sur le pain de racines. L'épaisseur de celui-ci est de 1 cm seulement au bord.

EXEMPLE DE REMPOTAGE D'UNE FORÊT (SUITE)

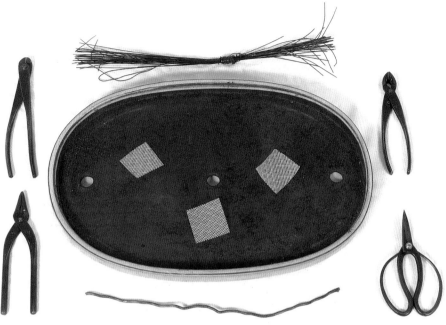

Matériel nécessaire pour le rempotage d'une forêt de *Celtis*:
pince coupante pour fil métallique, grille plastique, fil métallique pour cavalier.

Fabrication
d'un cavalier

Installation du cavalier:
il laissera passer l'eau, mais
retiendra le mélange du substrat
(vue du dessus du pot).

Vue du dessous du pot: le fil
métallique est rabattu afin de
retenir le grillage contre le pot.

❶ On commence à démêler les racines avec une griffe, en tirant vers l'extérieur de la motte.

❷ On commence à couper les racines les plus longues afin de dégager de la place.
Il faut utiliser une paire de ciseaux réservée à cet usage.

EXEMPLE DE REMPOTAGE D'UNE FORÊT (SUITE)

❸ Le pain de racines après une taille sévère.

❹ On sépare la forêt en sous-groupes afin de faciliter la poursuite du démêlage des racines.

⑤ Démêlage des racines avec la griffe.

⑥ On taille les racines les plus longues.

EXEMPLE DE REMPOTAGE D'UNE FORÊT (FIN)

⑦ Une partie du substrat est mise dans le pot. Il s'agit d'un mélange à parts égales de terreau et d'Akadama.

⑧ Après l'installation des sous-groupes dans le substrat, on rajoute du mélange que l'on fait glisser entre les racines à l'aide de baguettes.

fin de l'hiver et le début du printemps, juste avant la montée de sève. Cette période peut varier de quelques semaines d'une année à l'autre, selon les conditions climatiques. Il faudra donc surveiller attentivement le réveil de la végétation. L'idéal est d'observer l'état des bourgeons. Dès que ceux-ci commencent à se gonfler, et avant qu'ils n'éclosent, on procédera au rempotage. L'afflux de sève qui suivra favorisera la repousse des radicelles.

Les conifères peuvent également être rempotés en automne, quand ils se mettent en repos. Mais l'enracinement sera moins favorisé qu'au printemps.

Enfin, un rempotage d'urgence pourra être effectué exceptionnellement en dehors des périodes normales, si l'arbre a subi un pourrissement des racines (souvent accompagné d'une attaque de champignons pathogènes). On ne taillera alors que les racines mortes, et on le rempotera dans un mélange très drainant, avec une forte proportion de sable grossier. Cette opération de dernière chance pourra s'accompagner d'un traitement au moyen d'un fongicide *(voir p. 126)*.

Les techniques

Nous allons maintenant passer en revue quelques techniques particulières, visant à modifier de manière importante, voire spectaculaire, l'aspect général de l'arbre. Ces méthodes ne sont pas utilisées fréquemment, et doivent être réservées à des amateurs chevronnés, qui maîtrisent parfaitement les règles de base de la culture ainsi que les techniques traditionnelles. Il s'agit du ligaturage, de l'exfoliation, de la greffe, du marcottage aérien, et des techniques de vieillissement artificiel (JIN, SHARI, SABAMIKI).

LE LIGATURAGE

Pour les néophytes, le ligaturage représente certainement l'archétype des techniques associées à l'image du bonsaï, et un de ses aspects les plus représentatifs, voire même un des plus controversés. Parfois même, on l'associe à une forme de « torture », voire à une méthode contre-nature, visant à limiter la croissance de l'arbre. Cette vision des choses est totalement erronée. Rappelons que le bonsaï est un arbre à part entière qui, bien que sa taille soit réduite, doit être vigoureux et en bonne santé.

En fait, le ligaturage constitue une technique délicate, à appliquer avec soin, et qui ne doit en aucun cas faire souffrir l'arbre. Son but principal est de modifier la position des branches ou de corriger celles-ci, pour qu'elles s'inscrivent dans un schéma harmonieux *(voir p. 10)*. En effet, les nouvelles pousses ont une tendance naturelle à s'orienter vers le haut, afin de rechercher la lumière. Ceci est particulièrement vrai pour les branches charpentières, qui, chez un jeune sujet, sont les premières à apparaître. Or, un bonsaï accompli se doit de présenter l'aspect d'un arbre d'âge vénérable. Dans la nature,

spéciales

un tel sujet aura les branches principales retombantes. Ceci est particulièrement vrai pour les conifères. À l'état naturel, l'ensemble de leur ramure est orienté vers le bas, ce qui est impossible à obtenir chez un jeune arbre. On devra donc ligaturer l'ensemble de leurs branches principales et secondaires afin de leur donner cette orientation.

Pour les arbres à feuilles caduques, le ligaturage se limitera aux branches principales mal positionnées dont on veut modifier l'orientation. Pour les branches secondaires et le reste de la ramification, on fera appel à la taille classique.

Pour les bonsaï âgés et très ramifiés, le ligaturage répond à un autre besoin : celui de dégager les rameaux enchevêtrés les uns dans les autres, et de les étaler latéralement. Ainsi, ils éviteront de se chevaucher, et recevront plus de lumière.

Une autre raison pour laquelle on utilise plus la ligature chez les conifères que chez les feuillus tient à la souplesse de leurs branches. Chez les premiers, la nature même de leur bois les rendra plus aptes à ce genre de technique, alors que chez les seconds, la texture plus raide de leurs fibres leur fera préférer l'usage de la taille pour orienter leur ramification.

▼ Le Genévrier de Chine se prête bien à la technique du shari.

▶ LE MATÉRIEL

On utilisera du fil d'aluminium anodisé ou de cuivre recuit.
Dans la grande majorité des cas, seul le premier sera utilisé.
Il permet, grâce à sa souplesse, une mise en place facile, tout
en conservant ensuite sa forme et sa position.

La grosseur du fil sera fonction de celle de la branche à
ligaturer. Dans la pratique, on utilisera essentiellement des
diamètres de 1,5 à 3,0 mm, celui-ci correspondant en général
au tiers du diamètre de la branche ou du rameau.

Pour la mise en place et le déligaturage, on utilisera une pince
à fil et une pince coupante. Cette dernière, grâce à la forme
spéciale de son bec, permet de tronçonner la ligature au ras
de l'écorce, sans blesser celle-ci, même si le fil a commencé
à s'incruster.

▶ COMMENT LIGATURER ?

Le principe de base
consiste à ligaturer en
allant du bas vers le haut de
l'arbre, et du tronc vers
l'extrémité des branches.
Le fil devra faire un angle
de 45° avec l'axe de l'arbre
ou de la branche.

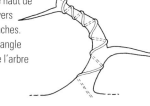

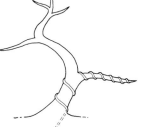

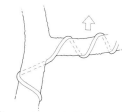

**Pour ligaturer une
branche principale**, on
commencera par ancrer le
fil en le plantant dans le sol.
On montera ensuite le
long du tronc, jusqu'à la
branche à orienter.

Si on désire baisser celle-ci,
on devra faire passer la
première spire au-dessus.

Si on veut au contraire la
remonter, la première spire
commencera dessous.

Lorsque la ligature sera en place, on positionnera la branche en la pliant avec les doigts.

La branche est ligaturée, avant d'être abaissée.

La branche ligaturée peut maintenant être abaissée lentement, sans risque de se casser.

Si on désire ligaturer deux branches avec le même fil, on devra faire au moins une spire complète autour du tronc. Sinon, la ligature risque de glisser et de blesser l'écorce de l'arbre.

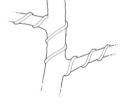

On peut doubler une ligature avec un deuxième fil, afin de rendre celle-ci plus solide. Mais il ne faut jamais croiser les deux fils.

Si on désire ligaturer à la fois les branches principales et les branches secondaires, on utilisera des fils de diamètres différents.

Dans certains cas, pour maintenir la bonne position de la branche, on fera appel à des haubans, fixés entre une boucle de la ligature, et la poterie du bonsaï.

Il ne faut jamais, lorsqu'on pose une ligature, passer celle-ci sur des feuilles. De même, il ne faudra jamais laisser en place une ligature dès qu'elle commence à s'incruster dans l'écorce. Selon les variétés et la saison, cela peut survenir au bout de 4 à 6 semaines. À ce moment-là, on devra l'enlever, soit en la déroulant avec les mains, soit en la tronçonnant par petits bouts au moyen de la pince coupante. Si on l'enlève avec les doigts, il existe une bonne méthode, qui est aussi valable pour le ligaturage que pour le déligaturage : elle consiste à tenir une spire complète avec les deux doigts d'une main, pendant qu'on place (ou enlève) la ligature avec les doigts de l'autre main. De cette manière, on empêche le fil de tourner autour de la branche, et de blesser l'écorce.

► **QUAND LIGATURER ?**

Les bonsaï d'intérieur pourront être ligaturés toute l'année. Pour les bonsaï d'extérieur, on distinguera deux cas :

– **Les arbres à feuilles caduques :** leur bois est assez cassant ; on préférera donc les ligaturer pendant que la sève circule, c'est-à-dire pendant la période de croissance (de mars à juillet).

– **Les conifères :** contrairement aux précédents, le bois a une texture plus souple. De plus, pendant la période de croissance, l'écorce a tendance à se détacher facilement du bois, au niveau du cambium. On préférera donc les ligaturer pendant la période de dormance, à la fin de l'hiver. *(Outils : coupe-fil, pince à fil, fil d'aluminium, voir rabat en fin d'ouvrage.)*

L'exfoliation est une technique de taille spéciale qui consiste à faire subir un automne artificiel au bonsaï, en supprimant en totalité ou en partie son feuillage, au début de l'été. En agissant ainsi, on force l'arbre à rebourgeonner et à reconstituer son feuillage, et à faire un « deuxième printemps » dans la même année. Le but est d'obtenir une ramification plus abondante et plus fine, et de diminuer ainsi la taille des nouvelles feuilles.

EXEMPLE DE LIGATURAGE D'UN GENÉVRIER

▸ Un genévrier de Chine avant
le ligaturage. Le feuillage de
la branche basse à droite est
mal positionné, partant à la
verticale.

◂ Le genévrier après le
ligaturage. La branche basse
à droite a maintenant un
mouvement plus naturel.

L'EXFOLIATION

▶ LES ARBRES À FEUILLES CADUQUES

En juin

Lorsque les pousses de l'année sont lignifiées (en général en juin), on coupe les feuilles, en laissant le pétiole accroché au rameau. Cette taille des feuilles ne doit pas être exécutée trop tard dans la saison (jamais après le mois de juin), sinon les nouvelles pousses n'auront pas le temps de se lignifier avant l'automne, ce qui fragiliserait l'arbre.

Cette technique est appliquée aux bonsaï d'extérieur à feuilles caduques, et à certains bonsaï d'intérieur (comme le Ficus) que l'on placera en plein soleil jusqu'à début septembre. On ne l'effectuera que sur des sujets robustes et en bonne santé.

Résultat

Par contre, chez certaines variétés qui ne font que très rarement une deuxième pousse dans la même saison (par exemple le Hêtre), c'est une technique à proscrire. Elle s'accompagnera d'une taille importante des jeunes rameaux, afin d'éviter que l'arbre ne repousse qu'à leurs extrémités.

On peut également procéder à une exfoliation sélective, en ôtant toutes les feuilles des parties les plus vigoureuses de l'arbre, et en laissant celles des parties les moins fortes (branches basses, par exemple). On peut de cette manière stimuler la croissance de ces dernières, en leur donnant d'avantage de lumière.

L'exfoliation, qui fatigue l'arbre, doit être réservée à des sujets vigoureux. Elle ne devra pas être effectuée chaque année, ni après un rempotage, un ligaturage important ou une grosse taille de structure.

▸ **EXFOLIATION DES PINS**

Mentionnons enfin le cas particulier de l'exfoliation chez les pins : sur des sujets âgés et dont le feuillage est très dense, on assiste, au fil des ans, à un allongement inévitable des branches, et à une absence de bourgeons au centre de la ramure, celle-ci étant privée de lumière. À la longue, les nouvelles ramifications ne se produisent qu'aux extrémités des branches.

En août

Pour corriger cela, on pourra procéder à une exfoliation partielle en août, uniquement sur des sujets vigoureux et en bonne santé. On ôtera avec les doigts les aiguilles vieilles de deux ans, qui seraient tombées naturellement à la fin de l'hiver, et également celles de l'année précédente. Il ne restera donc que les aiguilles qui ont poussé au printemps. La lumière, en pénétrant alors au centre de la ramure, fera redémarrer des bourgeons dormants sur le vieux bois. En octobre, quand ces bourgeons auront un peu grossi, on pourra procéder à un raccourcissement du rameau, afin de le ramener à une forme plus compacte.

En octobre

LA GREFFE

Nous n'allons pas parler ici de la greffe traditionnelle qui consiste, pour un jeune sujet, à placer un greffon d'une variété d'arbre sur un porte-greffe d'une variété voisine (les deux appartenant à la même espèce). Ce type de greffe, que l'on pourrait qualifier « de culture », est utilisée pour les bonsaï, mais au stade de la production, chez les professionnels. Elle concerne, par exemple, la greffe du Pin *Pentaphylla* sur du Pin noir de Thundberg, ou celle de la variété DESHOJO sur l'Érable *Palmatum* classique. Nous allons par contre nous intéresser à celles qui permettent de pallier un défaut esthétique important de l'arbre, quand les techniques traditionnelles (taille, ligature) deviennent impossibles à utiliser. C'est le cas lorsqu'il manque une branche ou une racine à un endroit crucial du bonsaï. Dans les trois techniques de greffe que nous allons examiner, on procédera avec des outils (ciseaux, greffoir) bien aiguisés et désinfectés. L'opération devra être faite rapidement, afin d'éviter les pertes d'eau par évaporation. On veillera enfin à pratiquer les coupes de telle sorte que les parties en contact possèdent la plus grande surface de cambium possible. Cette couche de tissus située sous l'écorce est celle qui génère les cellules nécessaires à une bonne cicatrisation.

▶ GREFFE PAR APPROCHE

Cette méthode permet de greffer une branche manquante en utilisant un deuxième plant (de la même espèce) ou une autre branche du même arbre. Dans les deux cas, le greffon sera sevré à l'automne, la greffe ayant été faite au printemps.

Sur les deux parties à accoler, on enlèvera une bande d'écorce, de façon à avoir la plus grande surface de contact possible au niveau du cambium. On ligature ensuite avec du raphia.

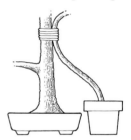

▶ GREFFE PAR ÉCUSSON

On utilisera de préférence un rameau de l'année taillé sur le même arbre, en été. Il devra être muni d'un morceau d'écorce à sa base (l'écusson) et d'un bourgeon à son aisselle. On taillera le rameau juste au-dessus de ce dernier.

Il faut ensuite entailler le porte-greffe en faisant une incision en forme de T jusqu'au bois. Après avoir écarté les lèvres de l'écorce, on insère le greffon (lui aussi écorcé) et on referme en ligaturant avec du raphia.

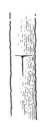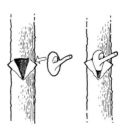

▶ GREFFE D'UNE RACINE

Elle permet de placer une racine à un endroit où il en manque une (racine morte ou défaut esthétique). En effet, la présence de racines s'étalant bien en étoile à la base du tronc (NEA-BARI) est un des critères de qualité pour les beaux bonsaï. On utilisera la base d'un jeune plant de la même variété (pivot + base du tronc) comme greffon.

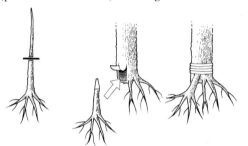

Après l'avoir taillée en pointe, on la glissera dans une fente pratiquée dans l'écorce, à la base du tronc. Bien mastiquer pour éviter le pourrissement, et la ligaturer avec du raphia.

LE MARCOTTAGE

Cette technique permet, soit de raccourcir le tronc d'un bonsaï jugé trop haut, en faisant naître des racines au-dessus du niveau de la terre, soit de prélever sur un grand arbre une partie entière jugée intéressante. Cette opération, apparemment difficile à cause du diamètre important du tronc ou de la branche, peut être parfaitement réussie si on respecte les règles décrites ci-dessous. Il faut s'armer de patience, et attendre parfois deux ans, si l'arbre est gros, avant de voir le résultat final.

▶ LE MARCOTTAGE D'UN TRONC

Il s'effectue à la fin de l'hiver, sur un bonsaï dont le tronc (entre la base et les premières branches) est jugé trop haut.

MARCOTTAGE D'UN TRONC

❶ Avec un ciseau à bois, on pratiquera deux incisions parallèles, séparées de 3 à 5 mm, sur tout le pourtour de l'arbre.

❷ Après avoir enlevé la bande d'écorce, on creusera avec une gouge jusqu'à l'aubier (partie blanche du bois) sur une profondeur de 3 à 5 mm, selon la taille de l'arbre.

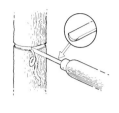

❸ Après avoir appliqué sur l'incision de l'auxine (hormone d'enracinement en poudre), on disposera avec soin une ligature d'aluminium, du même diamètre que la largeur de la gorge, et on la serrera ensuite. Elle doit être en contact parfait avec le bois, et ne pas dépasser l'écorce. Pour cela, on pourra l'enfoncer dans l'incision en la martelant légèrement.

❹ On disposera ensuite un manchon en grillage plastique autour de la base du tronc, que l'on remplira d'un mélange de terre assez drainant. Le niveau du substrat devra dépasser celui de la ligature d'environ 3 à 5 cm.

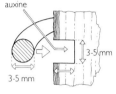

auxine

3-5 mm

3-5 mm

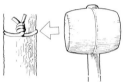

Pendant l'année qui suit, on arrosera l'arbre (sans engrais) par le dessus du manchon. On veillera également à le tourner régulièrement vers le soleil ; en effet, la chaleur de celui-ci favorisant la croissance des racines, on obtiendra ainsi un développement régulier et « en étoile » de ces dernières.

Un an plus tard, après avoir ôté le manchon et le substrat, on taillera de moitié les racines les plus grosses, tout en laissant les plus faibles et le chevelu de radicelles. On enlèvera avec soin la ligature, puis on élargira l'incision jusqu'à 1 cm d'épaisseur, juste au-dessous des racines, en faisant bien attention à ne pas les blesser. Au bout de deux ans, on pourra sevrer la partie marcottée en coupant le tronc, ou en le sciant juste au dessous des nouvelles racines. Planté dans son pot définitif, il deviendra un nouveau bonsaï. Pour les variétés qui racinent rapidement (comme l'Érable de Burger), on pourra sevrer l'arbre au bout d'un an seulement.

Un an après

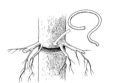

Deux ans après

▶ **MARCOTTAGE D'UNE BRANCHE**

On procédera de la même manière que précédemment, mais en remplaçant le manchon et la terre par un sac plastique rempli d'un mélange de tourbe et de sphaigne. Après avoir attaché les deux extrémités du sac autour de la branche, on arrosera à travers le plastique au moyen d'une seringue.

LES TECHNIQUES DE VIEILLISSEMENT ARTIFICIEL

Au Japon, certains des plus beaux bonsaï, ceux que l'on peut à juste titre appeler « chefs-d'œuvre vivants », sont travaillés au moyen de techniques particulières, visant à accentuer leur âge déjà vénérable, et à mettre en valeur leur caractère. Ces méthodes ont pour but de donner à l'arbre un aspect plus vieux, tout en corrigeant un défaut de structure.

On peut, par exemple, mettre en valeur une branche mal positionnée, en lui donnant l'aspect d'une branche morte et blanchie par le temps, plutôt qu'en la taillant complètement (JIN). De même, on peut mettre en évidence la forme tordue ou creusée du tronc, en l'écorçant en partie, ou en l'évidant (SHARI ou SABA-MIKI). Ces techniques, bien qu'artificielles, visent pourtant à donner au bonsaï une apparence conforme aux exemples que l'on peut rencontrer dans la nature. Les espèces adaptées à ce genre de travail sont en général des conifères (Pins, Genévriers, Épicéas, Ifs), dont le bois est dur et imputrescible.

Les outils spéciaux utilisés (ciseaux à bois, gouges, fraises) et les produits de traitement (liquide à JIN, mastic) sont indiqués sur le rabat en fin d'ouvrage.

► JIN

Cette technique est surtout utilisée au moment de la taille de structure. On peut avoir intérêt, plutôt que de supprimer totalement une branche mal positionnée, à lui donner l'aspect d'une branche morte, plus courte et écorcée.

Enfin, il convient de protéger éventuellement le bord de l'écorce, à la base de la branche, avec du mastic. On traitera ensuite la branche dénudée avec du liquide à JIN (sulfure de chaux). Ce produit permet de protéger le bois contre la pourriture, et lui donne un aspect naturel, grâce à sa couleur blanche.

LES ÉTAPES DU JIN

❶ On taillera d'abord la branche à la longueur souhaitée, en la réduisant même à l'état de moignon. Si elle est vivante, on l'écrasera légèrement avec une pince, afin de mieux séparer l'écorce du vieux bois.

❷ On pratiquera ensuite une incision à sa base, au ras du tronc, puis on fendra son écorce dans le sens de la longueur. Il suffira ensuite de l'écorcer complètement, en allant bien jusqu'au bois.

❸ Il faut maintenant affiner la forme définitive, en taillant l'extrémité en pointe (au moyen d'une pince à branche) et en la sculptant avec un ciseau.

▶ SHARI

Contrairement au JIN, qui ne s'applique qu'aux branches, le
SHARI vise à mettre en valeur la forme du tronc, en l'écorçant partiellement. Les Genévriers et les Pins, dont le bois et
souvent naturellement vrillé, sont particulièrement adaptés à
ce genre de technique.

Au moyen d'un ciseau à bois, on pratiquera deux incisions
sur le tronc, de bas en haut, afin d'enlever une bande
d'écorce. Celle-ci devra aller en s'amincissant vers la cime, et
devra bien suivre le fil du bois, souvent vrillé. Il faut faire en
particulier très attention à ne pas couper ainsi les canaux qui
alimentent en sève une branche supérieure.

On procédera par étapes successives, sur
plusieurs saisons, en élargissant pro-
gressivement la partie écorcée,
afin de ne pas fatiguer l'arbre.
Comme pour le JIN, on appliquera ensuite du mastic sur
les lèvres de l'écorce, et du
liquide à JIN sur la partie
mise à nu.

▶ Shari
sur Genévrier
de Chine.

▶ SABAMIKI

Cette technique, assez rarement utilisée, a pour but de mettre en valeur un tronc fendu, ou accidentellement creusé. On accentuera le caractère de l'arbre en évidant partiellement ou complètement la partie centrale de celui-ci. Il faut se souvenir que le vieux bois constitue le squelette de l'arbre, et est physiologiquement inerte. Dans la nature, les saules âgés présentent souvent cet aspect, de même que certains vieux chênes. Leur tronc est parfois complètement évidé, alors qu'il ne subsiste que la partie vivante, c'est-à-dire les couches périphériques situées sous l'écorce (aubier, cambium, et liber). On appliquera les mêmes techniques que celles utilisées pour le JIN et le SHARI, en veillant surtout aux risques de pourrissement dus à l'humidité et à l'eau stagnante au milieu du tronc. *(Outils: couteaux, gouges, ciseaux à Shari, voir rabat.)*

▼ Un Érable de Burger dont le tronc a été évidé selon la technique du SABAMIKI.

► INCRUSTATION

Cette technique spectaculaire a pour but de créer artificiellement un arbre d'aspect très vieux en « greffant » un ou plusieurs arbres jeunes sur le squelette d'un arbre mort.
Les variétés les plus souvent utilisées sont *Juniperus chinensis*
et *Juniperus rigida*, car, à l'état naturel, les très vieux sujets
ont souvent une partie importante de bois mort et blanchi,
autour duquel « s'enroulent » des veines de bois vivant. L'aspect final peut être spectaculaire et fait ressembler l'arbre à
une véritable sculpture vivante. Les modèles naturels sont
souvent situés en montagne, dans des lieux soumis au vent,
au gel et aux chutes de pierres, leur donnant des formes
tourmentées.

▼ Incrustation de trois
jeunes genévriers
sur le bois d'un vieux
genévrier mort.

EXEMPLE D'INCRUSTATION

Trois Genévriers de Chine
sont préparés pour
être incrustés sur le bois
d'un genévrier mort.
Ils vont être plantés dans
un grand pot de culture.

❷ Après le ligaturage
des deux premiers.

❶ Les trois genévriers
juste après le rempotage.

❸ Pour protéger le troisième, qui va être fortement plié, on place trois fils à ligaturer longitudinalement, et on les entoure fermement de raphia.

❹ On peut alors plier lentement le genévrier, sans risquer de le casser.

❺ Détail de la ligature.

❻ L'opération de pliage à mi-parcours.

❼ Fin du travail. Les arbres vont rester au moins deux ans dans ce pot de culture, avant d'être rempotés dans un pot de forme « semi-cascade ».

FICHES DE CULTURE PAR ESPÈCE

BONSAÏ

d'intérieur

Issus d'espèces tropicales,
ces arbres sont originaires
de Chine et de Taïwan.
Pourvu que l'emplacement
choisi soit assez lumineux,
ils s'adapteront bien à la
température constante d'un
appartement ou d'une maison.

◄ *Ficus nerifolia*

Buis de Chine
Buxus harlandii

Cette espèce de Buis, originaire de Chine et de Taïwan, possède une écorce fortement crevassée, et dont la texture rappelle celle du liège. Les feuilles sont petites, ovales et allongées.

▶ CONDITIONS PARTICULIÈRES DE CULTURE

– **Température et ensoleillement :** aime le plein soleil.
– **Engrais :** riche en phosphore, toute l'année.
– **Cycle végétatif :** renouvelle régulièrement les feuilles les plus anciennes.

▶ CONDITIONS PARTICULIÈRES D'ENTRETIEN

– **Taille de structure et ligaturage :** possibles toute l'année.
– **Rempotage :** possible toute l'année, mais de préférence de février à mai.
– **Taille d'entretien :** quand les pousses ont 4 à 6 paires de feuilles, rabattre à la 1re paire.

▶ SYMPTÔMES PARTICULIERS DE CARENCE OU D'EXCÈS

– **Rameaux et branches dépérissant :** arrosages trop fréquents, entraînant un pourrissement des racines. Développement de champignons pathogènes.
– **Chlorose :** eau trop calcaire.

▶ SENSIBILITÉS AUX MALADIES ET PARASITES

– Champignons pathogènes.

Carmona
Carmona microphylla

▶ **CONDITIONS PARTICULIÈRES DE CULTURE**

– **Température :** aime la chaleur (plus de 20 °C), été comme hiver.
– **Eau :** éviter de maintenir le substrat constamment trempé.
  Des arrosages trop fréquents peuvent facilement entraîner
  un pourrissement des racines. Bien veiller à laisser sécher
  légèrement la terre entre deux arrosages.
– **Engrais :** riche en phosphore, toute l'année.
– **Cycle végétatif :** en fonction des variations de température
  et de luminosité, le Carmona peut avoir des chutes de feuilles
  plus ou moins marquées. Les nouvelles feuilles (vert clair)
  apparaissent rapidement.

Arbuste tropical aux feuilles épaisses et vert foncé. Nombreuses petites fleurs blanches produisant des fruits verts puis rouges.

▶ **CONDITIONS PARTICULIÈRES D'ENTRETIEN**

– **Taille de structure et ligaturage :** possibles toute
  l'année.
– **Rempotage :** possible toute l'année,
  mais de préférence de février à mai.
– **Taille d'entretien :** quand les
  pousses ont 8 à 10 feuilles,
  rabattre à 2 ou 3 feuilles
  (voir p. 34).

▶ **SYMPTÔMES PARTICULIERS
DE CARENCE OU D'EXCÈS**

– **Excès d'eau et/ou manque de
  chaleur :** les feuilles sèchent et
  tombent en abondance. Risques
  de pourrissement des racines et
  d'attaques de champignons pathogènes.

▶ **SENSIBILITÉ AUX MALADIES
ET PARASITES**

– Pucerons, cochenilles, champignons
  pathogènes *(voir p. 126)*.

Crassula
Crassula arborescens

Cette plante grasse originaire des régions arides du sud de l'Afrique, est particulièrement résistante. Son tronc épais et ses feuilles charnues constituent des réserves d'eau lui permettant de résister à une sécheresse prolongée.

▶ **CONDITIONS PARTICULIÈRES DE CULTURE**

– **Température et ensoleillement :** aime le plein soleil.
– **Eau :** tolère des arrosages très espacés. Ne pas détremper la motte.
– **Engrais :** riche en phosphore, toute l'année.
– **Cycle végétatif :** peu marqué. Renouvelle régulièrement les feuilles les plus anciennes.

▶ **CONDITIONS PARTICULIÈRES D'ENTRETIEN**

– **Taille de structure et ligaturage :** possibles toute l'année.
– **Rempotage :** possible toute l'année, mais de préférence de février à mai.
– **Taille d'entretien :** quand les pousses ont 4 à 6 paires de feuilles, rabattre à la 1re paire.

▶ **SYMPTÔMES PARTICULIERS DE CARENCE OU D'EXCÈS**

– Pas de symptômes particuliers.

▶ **SENSIBILITÉS AUX MALADIES ET PARASITES**

– Très résistant. Pas de sensibilité particulière.

Eugenia
Eugenia

▶ **CONDITIONS PARTICULIÈRES DE CULTURE**

– **Température :** chaleur constante toute l'année
(16 °C à 20 °C).
– **Engrais :** riche en potasse, toute l'année.
– **Cycle végétatif :** renouvelle régulièrement les feuilles les
plus anciennes.

▶ **CONDITIONS PARTICULIÈRES D'ENTRETIEN**

– **Taille de structure et ligaturage :** possibles toute l'année.
– **Rempotage :** possible toute l'année, mais de préférence
de février à mai.
– Taille d'entretien : quand les pousses ont 4 à 6 paires de feuilles,
rabattre à la 1re paire.

▶ **SYMPTÔMES PARTICULIERS
DE CARENCE OU D'EXCÈS**

– Feuilles de plus en plus grandes,
entre-nœuds longs : engrais
inadapté ; excès d'azote.

▶ **SENSIBILITÉS
AUX MALADIES
ET PARASITES**

– Pucerons, aleurode
(voir p. 126).

**Arbuste tropical
aux feuilles ovales
vert-foncé et brillantes.
Les jeunes pousses sont
rouges et les fleurs petites
et blanches.**

Ficus
Ficus

Famille d'arbres tropicaux aux formes très variées. Seules les espèces à petites feuilles, telles *Ficus retusa, Ficus panda, Ficus formosanum, Ficus benjamina* et *Ficus nerifolia* sont utilisées comme bonsaï.

▶ **CONDITIONS PARTICULIÈRES DE CULTURE**

– **Température :** aime la chaleur (+ de 20 °C), été comme hiver.
– **Eau :** éviter de maintenir le substrat constamment trempé. Des arrosages trop fréquents peuvent facilement entraîner une chute des feuilles. Veiller à laisser sécher légèrement la terre entre deux arrosages.
– **Engrais :** riche en phosphore, toute l'année.
– **Cycle végétatif :** peu marqué. Renouvelle régulièrement les feuilles les plus anciennes.

▶ **CONDITIONS PARTICULIÈRES D'ENTRETIEN**

– **Taille de structure et ligaturage :** possibles toute l'année.
– **Rempotage :** possible toute l'année, mais de préférence de février à mai.
– **Taille d'entretien :** quand les pousses ont 8 à 10 feuilles, rabattre à 2 ou 3 feuilles *(voir p. 34)*.
– **Exfoliation :** possible en mai/juin. Placer ensuite l'arbre en plein soleil, à l'extérieur.

▼ Forêt de *Ficus*

Il formera alors de nouvelles feuilles plus petites et plus serrées. Le rentrer à l'intérieur dès la fin août.

▶ CARENCE OU EXCÈS

– **Excès d'eau :** l'intérieur de la ra-mure se dégarnit, et les feuilles tombent en abondance. Espacer les arrosages. Ne pas tailler avant le retour à la normale.
– **Manque de lumière :** les nouvelles feuilles sont de plus en plus grandes, et l'intérieur de la ramure se dégarnit.

▶ MALADIES ET PARASITES

– Pucerons, cochenilles *(voir p. 127).*

▼ *Ficus retusa*

▼ *Ficus formosanum*
(Ficus de Formose)

Micocoulier de Chine
Celtis sinensis

Arbre très rustique, cousin de l'Orme (famille des Ulmacées), et dont les variétés chinoises sont considérées comme bonsaï d'intérieur. Feuilles ovales vert foncé, aux lobes secondaires plus ou moins prononcés.

▶ **CONDITIONS PARTICULIÈRES DE CULTURE**

– **Température :** conditions idéales de pousse : de 16 °C à 20 °C. Hivernage : de 16 °C à 20 °C, mais possibilité également d'hivernage au frais (de 5 °C à 10 °C).
– **Eau :** si celle-ci est calcaire, rajouter du fer pour lui redonner un feuillage vert foncé.
– **Engrais :** riche en potasse, toute l'année.
– **Cycle végétatif :** peu marqué. Renouvelle régulièrement les feuilles les plus anciennes.

▶ **CONDITIONS PARTICULIÈRES D'ENTRETIEN**

– **Taille de structure et ligaturage :** possibles toute l'année.
– **Rempotage :** possible toute l'année, mais de préférence de février à mai.
– **Taille d'entretien :** quand les pousses ont 8 à 10 feuilles, rabattre à 2 ou 3 feuilles *(voir p. 34)*.

▶ **CARENCE OU EXCÈS**

– **Excès d'eau :** en cas d'arrosages trop fréquents, le Micocoulier continue à émettre de nouvelles feuilles à l'extrémité des pousses, mais les perd rapidement au fur et à mesure que celles-ci s'allongent *(voir p. 124)*. *Remède :* Espacer les arrosages. Ne pas tailler avant le retour à la normale.
– **Chlorose** (feuilles pâles, les nervures apparaissent plus foncées que le limbe) : eau trop calcaire ou arrosages trop fréquents.

▶ **MALADIES ET PARASITES**

– Pas de sensibilité particulière.

Murraya
Murraya paniculata

▶ **CONDITIONS PARTICULIÈRES DE CULTURE**

– **Température :** aime la chaleur (plus de 20 °C) été comme hiver.
– **Eau :** éviter de laisser le substrat constamment trempé.
  Bien veiller à laisser sécher légèrement la terre entre deux
  arrosages. Si l'eau est calcaire, risques de chlorose. Arroser
  à l'eau de Volvic ou traiter avec une solution de fer et magnésium.
– **Engrais :** riche en phosphore, toute l'année.
– **Cycle végétatif :** peu marqué. Renouvelle régulièrement les
  feuilles les plus anciennes.

▶ **CONDITIONS PARTICULIÈRES D'ENTRETIEN**

– **Taille de structure et ligaturage :** possibles toute l'année.
– **Rempotage :** possible toute l'année, mais de préférence de
  février à mai.
– **Taille d'entretien :** quand les pousses ont 4 à 5
  feuilles, rabattre à 2 ou 3 feuilles *(voir p. 34).*

▶ **SYMPTÔMES DE CARENCES
OU D'EXCÈS**

– **Chlorose :** eau calcaire et/ou arrosages trop
  fréquents.

▶ **SENSIBILITÉ AUX MALADIES
ET TRAITEMENTS.**

– Champignons pathogènes, cochenilles
  (voir p. 126).

**Arbuste tropical aux
feuilles composées
de plusieurs lobes ovales
de couleur vert-clair.
Les fleurs blanches en
forme de corolle sont très
odorantes, et donnent des
petites baies rouges.**

Orme de Chine
Ulmus parvifolia

Arbre à petites feuilles ovales et dentelées. Celles-ci sont plus ou moins petites selon leur région d'origine (Chine ou Taïwan). Espèce très rustique s'adaptant à des conditions climatiques très variées.

▶ **CONDITIONS PARTICULIÈRES DE CULTURE**

– **Température :** conditions idéales de pousse : de 16 °C à 20 °C. Hivernage : de 16 °C à 20 °C, mais possibilité également d'hivernage au frais (de 5 °C à 10 °C).
– **Eau :** si celle-ci est calcaire, risques de chlorose *(voir p. 123).* Arroser à l'eau de Volvic ou traiter avec une solution de fer et magnésium jusqu'au reverdissement complet.
– **Engrais :** riche en potasse, toute l'année.
– **Cycle végétatif :** le renouvellement des feuilles est très rapide. Elles jaunissent et tombent toutes en même temps, surtout en décembre/janvier. Attention à ne pas confondre ce renouvellement avec les symptômes d'un manque d'eau ! Il ne faudra donc pas le « noyer ».

▼ Orme de Chine
   formé en cascade.

▶ CONDITIONS PARTICULIÈRES D'ENTRETIEN

– **Taille de structure et ligaturage :** possibles toute l'année.
– **Rempotage :** possible toute l'année, mais de préférence de février à mai.
– **Taille d'entretien :** quand les pousses ont 8 à 10 feuilles, rabattre à 2 ou 3 feuilles *(voir p. 34)*.

▶ SYMPTÔMES PARTICULIERS DE CARENCE OU D'EXCÈS

– **Excès d'eau :** en cas d'arrosages trop fréquents, il continue à émettre de nouvelles feuilles à l'extrémité des pousses, mais les perd rapidement au fur et à mesure que celles-ci s'allongent *(voir p. 124)*. *Remède :* Espacer les arrosages. Ne pas tailler avant le retour à la normale.
– **Chlorose :** Eau trop calcaire ou arrosages trop fréquents.

▶ SENSIBILITÉ AUX MALADIES ET PARASITES

– Acariens et aleurodes *(voir p. 127)*.

Podocarpus
Podocarpus macrophyllus

Le feuillage de cet arbre d'origine asiatique est constitué de longues aiguilles aplaties de couleur vert-foncé. C'est une espèce rustique et très résistante.

▶ **CONDITIONS PARTICULIÈRES DE CULTURE**

– **Température :** chaleur constante toute l'année (16 °C à 20 °C).
– **Engrais :** riche en potasse, toute l'année.
– **Cycle végétatif :** Renouvelle régulièrement les feuilles les plus anciennes.

▶ **CONDITIONS PARTICULIÈRES D'ENTRETIEN**

– **Taille de structure et ligaturage :** possibles toute l'année.
– **Rempotage :** possible toute l'année, mais de préférence de février à mai.
– **Taille d'entretien :** quand les pousses ont 4 à 6 paires de feuilles, rabattre à la 1ʳᵉ paire.

▶ **SYMPTÔMES PARTICULIERS DE CARENCE OU D'EXCÈS**

– **Chute des aiguilles :** excès d'eau.

▶ **SENSIBILITÉS AUX MALADIES ET PARASITES**

– Cochenilles *(voir p. 127)*.

Sageretia
Sageretia theezans

▶ **CONDITIONS PARTICULIÈRES DE CULTURE**

– **Température** : conditions idéales de pousse : de 16 °C à 20 °C.
  Hivernage : de 16 °C à 20 °C, mais possibilité également
  d'hivernage au frais (de 5 °C à 10 °C).
– **Eau** : si celle-ci est calcaire, risques de chlorose *(voir p. 123)*.
  Arroser à l'eau de Volvic ou solution de fer et magnésium.
– **Engrais** : riche en potasse, toute l'année.
– **Cycle végétatif** : le Sageretia supporte très bien une baisse
  de température en hiver. Dans ce cas, la chute des feuilles est
  presque totale, et les nouvelles pousses sont alors colorées de
  rouge, signe de vigueur et de bonne santé.

Arbre à petites
feuilles ovales, vert-
clair et brillantes, et à
l'écorce s'exfoliant
par plaques, comme
celles des platanes.
Il s'adapte bien à des
conditions climatiques
variées.

▶ **CONDITIONS PARTICULIÈRES D'ENTRETIEN**

– **Taille de structure** : possible toute l'année.
– **Ligaturage** : un Sageretia manquant de vigueur peut mal
  réagir à cette technique.
– **Rempotage** : délicat, car le Sageretia a parfois très peu de
  racines. Le rempoter au redémarrage de la végétation. Garder
  le maximum de radicelles.
– **Taille d'entretien** : quand les pousses ont 4 à
  6 paires de feuilles, rabattre à la 1re paire.

▶ **CARENCE OU EXCÈS**

– **Manque d'eau ou « coup de
  chaud »** : Les feuilles et les rameaux se dessèchent très
  vite. Un oubli dans l'arrosage
  est souvent fatal.
– **Chlorose** : eau trop calcaire
  ou arrosages trop
  fréquents.

▶ **MALADIES
ET PARASITES**

– Aleurodes, oïdium *(voir p. 126, 127)*.

Serissa
Serissa foetida

Arbuste à feuilles persistantes, doubles et opposées. Il peut produire plusieurs fois dans l'année des petites fleurs blanches. L'espèce *Serissa Japonica*, au feuillage panaché et aux fleurs mauves, peut être considérée comme un bonsaï d'extérieur.

▶ **CONDITIONS PARTICULIÈRES DE CULTURE**

– **Température :** conditions idéales de pousse : de 16 °C à 20 °C. Hivernage : De 16 °C à 20 °C, mais possibilité également d'hivernage au frais (de 5 °C à 10 °C).
– **Eau :** si celle-ci est trop calcaire, les feuilles peuvent se déformer en se cloquant. Arroser à l'eau de Volvic, ou pulvériser avec une solution de fer.
– **Engrais :** riche en azote, toute l'année.
– **Cycle végétatif :** quelques feuilles jaunes traduisent un renouvellement normal de la ramure, d'autant plus important si la pousse est rapide. Par contre, une chute brutale des feuilles est le signe d'un déséquilibre. Vérifier l'emplacement et l'arrosage.

▶ **CONDITIONS PARTICULIÈRES D'ENTRETIEN**

– **Taille de structure et ligaturage :** possibles toute l'année.
– **Rempotage :** possible toute l'année, mais de préférence de février à mai.
– **Taille d'entretien :** quand les pousses ont 4 à 6 paires de feuilles, rabattre à la 1re paire.

▶ **SYMPTÔMES PARTICULIERS DE CARENCE OU D'EXCÈS**

– **Manque de lumière :** dépérissement de la partie centrale de la ramure. Feuilles de plus en plus grandes.
– **Excès d'eau :** Les feuilles noircissent à leur extrémité avant de tomber.
– **Feuillage de plus en plus pâle :** engrais inadapté (pas assez d'azote).
– **Feuilles déformées ou cloquées :** engrais inadapté et/ou eau trop calcaire.

▶ **SENSIBILITÉ AUX MALADIES ET PARASITES**

– Pucerons des racines, flocons cotonneux et blanchâtres dans les racines *(voir p. 126)*.

Troène de Chine
Ligustrum sinensis

▶ **CONDITIONS PARTICULIÈRES DE CULTURE**

– **Température :** 16 °C à 20 °C.
– **Eau :** lorsqu'il fait chaud, le *Ligustrum* est très gourmand en eau.
  On devra donc bien veiller à la fréquence des arrosages (jusqu'à 2
  fois par jour, si la température dépasse 25 °C).
– **Engrais :** riche en azote, toute l'année.
– **Cycle végétatif :** le renouvellement des feuilles s'effectue
  régulièrement.

▶ **CONDITIONS PARTICULIÈRES D'ENTRETIEN**

– **Taille de structure et ligaturage :** possibles toute l'année.
– **Rempotage :** possible toute l'année, mais de préférence de
  février à mai. À effectuer fréquemment (tous les ans pour les
  jeunes sujets).
– **Taille d'entretien :** quand les pousses ont 4 à 6 paires de
  feuilles, rabattre à la 1re paire.

▶ **SYMPTÔMES PARTICULIERS DE CARENCE
   OU D'EXCÈS**

– **Feuilles pâles :** engrais inadapté
  (pas assez d'azote).
– **Centre de la ramure dégarni,
  rameaux secs :** l'arbre souffre
  d'une soif chronique. Adapter
  la fréquence des arrosages.

▶ **SENSIBILITÉ AUX MALADIES
   ET PARASITES**

– Aleurodes *(voir p. 127).*

Cette espèce de troène
à feuillage persistant est
particulièrement robuste
et résistante. Les feuilles
vert-clair sont ovales et
arrondies, et les fleurs se
présentent sous forme de
petites grappes blanches.

Zanthoxylum
zanthoxylum piperitum odorum

Arbre à petites feuilles brillantes à plusieurs lobes. Ses petites fleurs dégagent un parfum poivré, d'où son nom botanique.

▶ CONDITIONS PARTICULIÈRES DE CULTURE

- **Température :** conditions idéales de pousse : de 16 °C à 20 °C. Hivernage : de 16 °C à 20 °C, mais possibilité également d'hivernage au frais (10 °C).
- **Engrais :** alterner riche en azote et riche en potassium, toute l'année.
- **Cycle végétatif :** renouvelle régulièrement les feuilles les plus anciennes.
- **Eau :** bien laisser sécher entre deux arrosages.

▶ CONDITIONS PARTICULIÈRES D'ENTRETIEN

- **Taille de structure et ligaturage :** possibles toute l'année.
- **Rempotage :** possible toute l'année, mais de préférence de février à mai.
- **Taille d'entretien :** quand les pousses ont une dizaine de feuilles, rabattre à 2 ou 3 feuilles *(voir p. 34)*.

▶ SYMPTÔMES PARTICULIERS DE CARENCE OU D'EXCÈS

- **Chlorose :** eau calcaire et/ou arrosages trop fréquents.

▶ SENSIBILITÉ AUX MALADIES ET PARASITES

- Pucerons lanigères, cochenilles, acariens *(voir p. 127)*.

Zelkova de Chine
Zelkova sinense

▶ **CONDITIONS PARTICULIÈRES DE CULTURE**

– **Température :** conditions idéales de pousse, de 16 °C
à 20 °C. Hivernage : de 16 °C à 20 °C, mais possibilité
également d'hivernage au frais (de 5 °C à 10 °C).
– **Eau :** si celle-ci est calcaire, risques de chlorose *(voir p. 123)*.
Arroser à l'eau de Volvic ou traiter avec une solution de
fer et magnésium jusqu'au reverdissement complet.
– **Engrais :** riche en potasse, toute l'année.
– **Cycle végétatif :** le renouvellement des feuilles se produit
assez rapidement, surtout en hiver.

▶ **CONDITIONS PARTICULIÈRES D'ENTRETIEN**

– **Taille de structure et ligaturage :** possibles toute l'année.
– **Rempotage :** possible toute l'année, mais de préférence de
février à mai.
– **Taille d'entretien :** quand les pousses ont 8 à 10 feuilles,
rabattre à 2 ou 3 feuilles *(voir p. 34)*.

▶ **SYMPTÔMES PARTICULIERS DE CARENCE
OU D'EXCÈS**

– **Manque de lumière et/ou engrais
trop riche en azote :** les nouvelles
feuilles sont de plus en plus grandes,
et les entre-nœuds s'allongent.

▶ **SENSIBILITÉ
AUX MALADIES
ET PARASITES**

– Acariens et aleurodes
(voir p. 127).

Cette espèce de *Zelkova*,
très semblable à ses
cousins à feuilles caduques
(voir p. 120) **possède un
feuillage persistant, et est
donc considéré comme
un bonsaï d'intérieur.
Les feuilles sont ovales,
pointues et dentelées.**

BONSAÏ
d'extérieur

◁ *Bonsaï d'extérieur dans un jardin de style japonais.*

Formés à partir d'espèces domestiques ou importés du Japon, ces arbres doivent absolument suivre le cycle des saisons. On les placera donc impérativement à l'extérieur (jardin, terrasse balcon).

Aubépine
Crataegus

Arbre à la croissance lente, appréciant les sols riches. Ses petites feuilles et sa robustesse en font un choix idéal de bonsaï. Les sujets âgés portent des fleurs et des fruits.

▶ **CONDITIONS PARTICULIÈRES DE CULTURE**

– **Température et ensoleillement :** aime le plein soleil au printemps, mais préfère un emplacement ombragé en été.
– **Eau :** bien laisser sécher entre deux arrosages.
– **Terre :** mélange de terre végétale riche en humus et d'Akadama.
– **Engrais :** riche en potassium, ou boulettes d'engrais organique japonaises.

▶ **CONDITION PARTICULIÈRES D'ENTRETIEN**

– **Taille de structure et ligaturage :** à la fin de l'hiver, avant la reprise de la végétation.
– **Taille d'entretien :** pendant la période de croissance, de mars à juillet. Quand les pousses ont 5 à 6 feuilles, rabattre à la 2e ou 3e feuille *(voir p. 34)*.
– **Ligaturage :** possible de mars à juillet. Attention à ne pas laisser le fil s'incruster dans l'écorce. Les marques resteraient visibles très longtemps.
– **Rempotage :** juste avant la reprise de la végétation, à la fin de l'hiver.

▶ **SYMPTÔMES PARTICULIERS DE CARENCE OU D'EXCÈS**

– **Chlorose :** eau calcaire. Arroser avec de l'eau de pluie.

▶ **SENSIBILITÉ AUX MALADIES ET PARASITES**

- Mildiou : on évitera d'arroser le feuillage en été *(voir p. 126)*.
- Pucerons lanigères, cochenilles *(voir p. 126)*.

Azalée
Rhododendron indicum

▶ **CONDITIONS PARTICULIÈRES DE CULTURE**

– **Température :** été : 18 °C à 20 °C ; hiver : 5 °C à 10 °C.
– **Ensoleillement :** mi-ombre
– **Eau :** maintenir la motte humide, mais pas détrempée.
  Ne supporte pas l'eau calcaire. Utiliser éventuellement de l'eau
  de pluie ou de Volvic.
– **Terre :** nécessite une terre acide. Le substrat type comportera une part
  de terre de bruyère pour une part du mélange de base *(voir p. 43)*.
– **Engrais :** riche en potasse, après la floraison.

▶ **CONDITION PARTICULIÈRES D'ENTRETIEN**

– **Taille de structure et ligaturage :** Possibles toute l'année.
  L'Azalée produisant naturellement de nombreux rejets sur le tronc,
  on peut créer la structure de base (branches charpentières) comme
  on le souhaite.
– **Rempotage :** après la floraison.
– **Taille d'entretien :** après la floraison. La croissance étant plus
  forte à la base qu'au sommet, on adaptera donc la taille en
  conséquence.

▶ **SYMPTÔMES PARTICULIERS
DE CARENCE OU D'EXCÈS**

– **Chlorose :** Eau calcaire. Arroser
  avec de l'eau de pluie ou de
  Volvic.

▶ **SENSIBILITÉ
AUX MALADIES
ET PARASITES**

– Champignons
  pathogènes,
  acariens,
  pucerons
  *(voir p. 126,
  127)*.

Cet arbuste originaire
d'Asie est très apprécié
pour ses fleurs, dont la
couleur peut aller du
blanc au rose saumon.
**Les variétés couramment
utilisées comme bonsaï
peuvent être considérées
dans nos régions comme
des plantes de serre
froide. Il leur faudra donc
un repos hivernal
hors-gel (5 °C à 10 °C).**

Cèdre du liban
Cedrus libani

Conifère dont les aiguilles sont groupées en petits fascicules. Sa croissance est lente.

▶ **CONDITIONS PARTICULIÈRES DE CULTURE**

- **Température et ensoleillement :** aime le plein soleil
- **Engrais :** riche en potassium, ou engrais japonais en boulettes, pendant toute la période de pousse.
- **Sol :** très drainant, avec une forte proportion de sable grossier ou d'Akadama.
- **Eau :** bien laisser sécher entre deux arrosages.

▶ **CONDITIONS PARTICULIÈRES D'ENTRETIEN**

- **Taille de structure et ligaturage :** en hiver.
- **Rempotage :** juste avant la reprise de la végétation, à la fin de l'hiver. Possible également en automne. Ensemencer le nouveau mélange de terre avec un peu de l'ancien substrat : cela permet le développement des mycorhizes nécessaires à l'arbre. Ne tailler qu'un tiers des racines au maximum.
- **Pincement :** en mars ou avril, selon les régions, on pincera les jeunes pousses avec les doigts *(voir p. 40)*.

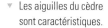
▼ Les aiguilles du cèdre sont caractéristiques.

▶ **SYMPTÔMES PARTICULIERS DE CARENCE OU D'EXCÈS**

- **Dépérissement de branches ou de rameaux :** pourrissement de racines et/ou champignons, dus à un substrat mal drainé.
- **Beaucoup d'aiguilles jaunes.**
Dépérissement du centre de la ramure : manque de lumière et/ou soif chronique. Vérifier l'emplacement et la fréquence des arrosages.

▶ **SENSIBILITÉ AUX MALADIES ET PARASITES**

- Pucerons lanigères, cochenilles, acariens *(voir p. 126)*.

Charme
Carpinus

Possédant une vague ressemblance avec le Hêtre, le Charme s'en distingue cependant par un tronc moins brillant et des feuilles plus claires et légèrement dentelées. En bonsaï, les formes verticales ou en groupe lui conviennent bien.

▶ **CONDITIONS PARTICULIÈRES DE CULTURE**

– **Température et ensoleillement :** s'il supporte bien le plein soleil, il a par contre besoin d'avoir les pieds au frais.
– **Eau :** éviter de laisser sécher le substrat. Arroser régulièrement pour maintenir la motte fraîche, surtout en été.
– **Engrais :** riche en potasse, ou engrais japonais en boulettes, pendant la période de pousse.
– **Sol :** utiliser un substrat très drainant.

▶ **CONDITIONS PARTICULIÈRES D'ENTRETIEN**

– **Taille de structure :** fin de l'hiver.
– **Ligaturage :** de mars à juillet. Attention à ne pas laisser le fil s'incruster dans l'écorce. Les marques resteraient alors visibles très longtemps.
– **Rempotage :** juste avant la reprise de la végétation, à la fin de l'hiver.
– **Taille d'entretien :** pendant la période de croissance, de mars à juillet. Quand les pousses ont 6 à 8 feuilles, rabattre à la 2e ou 3e feuille *(voir p. 34)*.
– **Exfoliation :** possible en juin.

▶ **SYMPTÔMES PARTICULIERS DE CARENCE OU D'EXCÈS**

– **Feuilles brûlées :** trop forte chaleur. Changer l'exposition.
– **Grandes feuilles et entre-nœuds longs :** engrais inadapté. Excès d'azote.

▶ **SENSIBILITÉ AUX MALADIES ET PARASITES**

– Pucerons lanigères, cochenilles, oïdium *(voir p. 126)*.

Chêne
Quercus robur

Arbre à la croissance lente, appréciant les sols riches. Il est difficile de réduire la taille de ses feuilles.

▷ **CONDITIONS PARTICULIÈRES DE CULTURE**

– **Température et ensoleillement** : aime le plein soleil.
– **Engrais** : riche en potassium, afin d'éviter des feuilles trop grandes.
– **Sol** : mélange de terre végétale riche en humus et d'Akadama.
– **Eau** : bien laisser sécher entre deux arrosages.

▷ **CONDITIONS PARTICULIERES D'ENTRETIEN**

– **Taille de structure et ligaturage** : à la fin de l'hiver, avant la reprise de la végétation.
– **Taille d'entretien** : pendant la période de croissance, de mars à juillet. Quand les pousses ont 6 à 8 feuilles, rabattre à la 2ᵉ ou 3ᵉ feuille *(voir p. 34).*
– **Exfoliation** : possible en juin, afin d'avoir des feuilles plus petites.
– **Rempotage** : tous les 3 ou 4 ans, avant la reprise de la végétation. Jamais l'année suivant une exfoliation.

▷ **SYMPTOMES PARTICULIERS DE CARENCE OU D'EXCÈS**

– **Chlorose** : eau calcaire. Arroser avec de l'eau de pluie.

▷ **SENSIBILITÉ AUX MALADIES ET PARASITES**

– Mildiou : on évitera d'arroser le feuillage en été *(voir p. 126).*
– Pucerons lanigères, cochenilles *(voir p. 126).*

Cotoneaster
Cotoneaster

▶ **CONDITIONS PARTICULIÈRES DE CULTURE**

– **Température et ensoleillement :** aime le plein soleil.
– **Engrais :** riche en potasse ou engrais japonais en boulettes, pendant la période de pousse, après la floraison.

▶ **CONDITIONS PARTICULIÈRES D'ENTRETIEN**

– **Taille de structure :** fin de l'hiver.
– **Ligaturage :** de mars à juillet.
– **Rempotage :** juste avant la reprise de la végétation, à la fin de l'hiver.
– **Taille d'entretien :** pendant la période de croissance, de mars à juillet. Quand les pousses ont 6 à 8 feuilles, rabattre à la 2ᵉ ou 3ᵉ feuille *(voir p. 34)*.

▶ **SYMPTÔMES PARTICULIERS DE CARENCE OU D'EXCÈS**

– **Feuilles brûlées :** trop forte chaleur. Changer l'exposition.
– **Grandes feuilles et entre-nœuds longs :** engrais inadapté. Excès d'azote.

▶ **SENSIBILITÉ AUX MALADIES ET PARASITES**

– Feu bactérien, pucerons, cochenilles *(voir p. 126)*.

Petit arbuste semi-persistant se couvrant au printemps de petites fleurs blanches ou roses, selon les variétés. Les baies sont rouges et les feuilles ovales et brillantes.

Épicéa
Picea

Cousin du sapin (*Abies*),
l'Épicéa possède de petites
aiguilles vert-clair.
Son port naturel est vertical
et sa forme conique.

▶ CONDITIONS PARTICULIÈRES DE CULTURE

– **Température et ensoleillement :** s'il supporte bien le plein
soleil, il a par contre besoin d'avoir les pieds au frais.
– **Eau :** éviter de laisser sécher le substrat. Arroser régulièrement pour maintenir la motte fraîche, surtout en été.
– **Engrais :** riche en potasse, ou engrais japonais en boulettes,
pendant la période de pousse.
– **Sol :** utiliser un substrat très drainant.

▶ CONDITIONS PARTICULIÈRES D'ENTRETIEN

– **Taille de structure et ligaturage :** en hiver.
– **Rempotage :** juste avant la reprise de la végétation,
à la fin de l'hiver. Possible également en automne.
Ne tailler qu'un tiers maximum des racines.
– **Pincement :** en mars ou avril, selon les régions, on pincera les
jeunes pousses avec les doigts *(voir p. 40).*

▶ SYMPTÔMES PARTICULIERS DE CARENCE OU D'EXCÈS

– **Beaucoup d'aiguilles jaunes. Dépérissement du centre
de la ramure :** manque de lumière et/ou soif chronique.
Vérifier l'emplacement et la fréquence des
arrosages.

▶ SENSIBILITÉ AUX MALADIES ET PARASITES

– Acariens, pucerons
(voir p. 126).

Érable de Burger
Acer buergerianum

▶ **CONDITIONS PARTICULIÈRES DE CULTURE**

– **Température et ensoleillement :** craint les fortes chaleurs
(éviter de l'exposer au sud). Protéger du gel en dessous
de - 5 °C.
– **Engrais :** riche en potasse, ou engrais japonais en
boulettes, pendant la période de pousse.
– **Sol :** légèrement plus acide que le mélange de base.
Rempotages fréquents (tous les ans pour les jeunes sujets).

▶ **CONDITIONS PARTICULIÈRES D'ENTRETIEN**

– **Taille de structure :** fin de l'hiver.
– **Ligaturage :** de mars à juillet.
– **Rempotage :** juste avant la reprise de la végétation, à la fin
de l'hiver.
– **Taille d'entretien :** pendant la période de croissance, de
mars à juillet. Quand les pousses ont 4 à 6 paires
de feuilles, rabattre à la 1re ou à la 2e paire
de feuilles.
– **Exfoliation :** possible en juin.

▶ **SYMPTÔMES PARTICULIERS
DE CARENCE OU D'EXCÈS**

– **Feuilles brûlées :** trop forte
chaleur. Changer l'exposition.
– **Grandes feuilles et
entre-nœuds longs :**
Engrais inadapté.
Excès d'azote.

▶ **SENSIBILITÉ AUX
MALADIES ET
PARASITES**

– Pucerons, cochenilles
(voir p. 126).

Cette espèce d'érable
a des feuilles composées
de 3 lobes. Le tronc,
de couleur beige clair,
s'exfolie par plaques
en vieillissant.
La croissance très rapide
des racines en fait
un sujet de choix pour le
style « sur roche »
(ISHIGAMI).

Érable palmé
Acer palmatum

Cet arbre magnifique, originaire du Japon, compte plus de 600 cultivars différents ! Il est particulièrement recherché pour les changements de couleur de son feuillage au cours des saisons. Les feuilles palmées et dentelées sont composées de 5 à 7 lobes.

▶ **CONDITIONS PARTICULIÈRES DE CULTURE**

– **Température et ensoleillement** : craint les fortes chaleurs (éviter de l'exposer au Sud). Protéger du gel en-dessous de - 5 °C.
– **Eau** : éviter de maintenir le substrat constamment trempé. Bien veiller à laisser sécher légèrement la terre entre deux arrosages.
– **Engrais** : riche en potasse, ou engrais japonais en boulettes, pendant la période de pousse.
– **Sol** : utiliser un substrat très drainant.

▶ **CONDITIONS PARTICULIÈRES D'ENTRETIEN**

– **Taille de structure** : fin de l'hiver.
– **Ligaturage** : de mars à juillet.
– **Rempotage** : avant la reprise de la végétation, à la fin de l'hiver.
– **Taille d'entretien** : pendant la période de croissance, de mars à juillet. Quand les pousses ont 4 à 6 paires de feuilles, rabattre à la 1re ou à la 2e paire de feuilles. On veillera à laisser un « chicot » de 1 à 2 cm après celle-ci.
– **Exfoliation** : possible en juin.

◀ *Acer palmatum*
'Seighen'.

▶ **SYMPTÔMES PARTICULIERS
DE CARENCE OU D'EXCÈS**

– **Feuilles brûlées :** trop forte chaleur. Changer
l'exposition.
– **Grandes feuilles et entre-nœuds longs :** engrais
inadapté. Excès d'azote.

▶ **SENSIBILITÉ
AUX MALADIES ET PARASITES**

– Pucerons, cochenilles, champignons pathogènes
(en particulier *Verticillium*)
(voir p. 126).

▲ *Acer palmatum* 'Kiyohime'
au début de l'automne.

◀ *Acer palmatum*
'Deshojo'.

Genévrier de Chine
Juniperus chinensis

Ce conifère possède un feuillage vert-foncé très dense, constitué de minuscules écailles. Au Japon, la forme souvent tourmentée de son tronc est fréquemment mise en valeur par la méthode du SHARI.

▶ **CONDITIONS PARTICULIÈRES DE CULTURE**

– **Température et ensoleillement :** aime le plein soleil. Craint le gel en dessous de - 5 °C.
– **Engrais :** riche en potasse, ou engrais japonais en boulettes, pendant la période de pousse.
– **Sol :** très drainant, avec une forte proportion de sable grossier (plus de la moitié du mélange) ou d'Akadama.
– **Eau :** bien laisser sécher entre deux arrosages. Apprécie une certaine humidité atmosphérique.

▶ **CONDITIONS PARTICULIÈRES D'ENTRETIEN**

– **Taille de structure et ligaturage :** en hiver.
– **Rempotage :** juste avant la reprise de la végétation, à la fin de l'hiver. Possible également en automne. Ne tailler qu'un tiers maximum des racines.
– **Pincement :** pendant toute la période de croissance, on pincera régulièrement les jeunes pousses en tirant leur extrémité entre les doigts *(voir p. 40)*.

▶ **SYMPTÔMES PARTICULIERS DE CARENCE OU D'EXCÈS**

– **Feuillage devenant terne :** absence de lumière, confinement, absence d'aération. Vérifier l'emplacement.
– **Branches dépérissant :** pourrissement d'une ou de plusieurs racines. Rempoter dans un mélange drainant et poreux.

▶ **MALADIES ET PARASITES**

– Acariens, cochenilles, pucerons *(voir p. 126)*.

Genévrier rigide
Juniperus rigida

▶ **CONDITIONS PARTICULIÈRES DE CULTURE**

– **Température et ensoleillement:** aime le plein soleil.
– **Engrais:** riche en potasse, ou engrais japonais en boulettes, pendant la période de pousse.
– **Sol:** très drainant, avec une forte proportion de sable grossier (plus de la moitié du mélange) ou d'Akadama. Supporte les sols calcaires.
– **Eau:** bien laisser sécher entre deux arrosages.

▶ **CONDITIONS PARTICULIÈRES D'ENTRETIEN**

– **Taille de structure et ligaturage:** en hiver.
– **Rempotage:** juste avant la reprise de la végétation, à la fin de l'hiver. Possible également en automne. Ne tailler qu'un tiers maximum des racines.
– **Pincement:** au printemps, on pincera les jeunes pousses pendant qu'elles sont encore tendres en tirant dessus avec les doigts. Si on a peur de se piquer aux aiguilles déjà formées, on pourra utiliser des ciseaux, mais en veillant bien à ne pas couper celles-ci.

▶ **SYMPTÔMES PARTICULIERS DE CARENCES OU D'EXCÈS**

– **Feuillage devenant terne:** absence de lumière, confinement, absence d'aération. Vérifier l'emplacement.
– **Branches dépérissant:** pourrissement d'une ou de plusieurs racines. Rempoter dans un mélange drainant et poreux.

▶ **SENSIBILITÉ AUX MALADIES ET PARASITES**

– Acariens, cochenilles, pucerons *(voir p. 126)*.

Contrairement à son cousin le Genévrier de Chine, cet arbre possède des aiguilles courtes et très piquantes. Son bois peut prendre des formes très spectaculaires.

Glycine
Wisteria

Arbre à la floraison spectaculaire. On choisira de préférence des sujets de grande taille, afin de respecter des proportions harmonieuses avec les grandes feuilles et les grandes grappes de fleurs.

▶ **CONDITIONS PARTICULIÈRES DE CULTURE**

- **Température et ensoleillement :** aime le plein soleil au printemps, mais préfère un emplacement ombragé en été.
- **Engrais :** riche en phosphore durant la floraison, puis en potassium, ou boulettes d'engrais organique japonaises.
- **Sol :** mélange de terre végétale riche en humus et d'Akadama.
- **Eau :** bien garder la terre humide en été.

▶ **CONDITIONS PARTICULIÈRES D'ENTRETIEN**

- **Taille de structure :** après la floraison. Rabattre sévèrement les branches principales.
- **Taille d'entretien :** pendant la période de croissance, de mars à juillet. Quand les pousses ont 5 à 6 feuilles, rabattre à la 2ᵉ ou 3ᵉ feuille *(voir p. 34)*.
- **Ligaturage :** possible de mars à juillet, mais prudemment, car les branches cassent facilement. Lui préférer une formation par la taille.
- **Rempotage :** juste avant la reprise de la végétation, à la fin de l'hiver.

SYMPTÔMES PARTICULIERS DE CARENCE OU D'EXCÈS
Chlorose : eau calcaire. Arroser avec de l'eau de pluie.

SENSIBILITÉ AUX MALADIES ET PARASITES
Pucerons lanigères, cochenilles *(voir p. 126)*.

Gingko
Gingko biloba

Cet arbre très ancien est considéré comme un fossile vivant. Ses feuilles sont constituées de 2 lobes en forme d'éventail.
De couleur vert-clair, elles prennent une belle teinte dorée à l'automne, d'où son surnom d'« arbre aux 40 écus ».

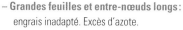

▶ **CONDITIONS PARTICULIÈRES DE CULTURE**

– **Température et ensoleillement :** aime le plein soleil.
– **Engrais :** riche en potasse, ou engrais japonais en boulettes, pendant la période de pousse.

▶ **CONDITIONS PARTICULIÈRES D'ENTRETIEN**

– **Taille de structure :** fin de l'hiver.
– **Ligaturage :** de mars à juillet.
– **Rempotage :** juste avant la reprise de la végétation, à la fin de l'hiver.
– **Taille d'entretien :** pendant la période de croissance, de mars à juillet. Quand les pousses ont 6 à 8 feuilles, rabattre à la 2e ou 3e feuille *(voir p. 34)*.

▶ **SYMPTÔMES PARTICULIERS DE CARENCES OU D'EXCÈS**

– **Grandes feuilles et entre-nœuds longs :** engrais inadapté. Excès d'azote.
– **Chlorose :** eau trop calcaire. Faire des apports de fer et de magnésium.

▶ **SENSIBILITÉ AUX MALADIES ET PARASITES**

– Pas de sensibilité particulière. Arbre très résistant aux maladies et aux parasites.

Grenadier
Punica granatum

▶ **CONDITIONS PARTICULIÈRES DE CULTURE**

– **Température:** été : 18 °C à 20 °C ; hiver : 5 °C à 10 °C.
– **Engrais:** riche en potasse, pendant la période de croissance.

▶ **CONDITIONS PARTICULIÈRES D'ENTRETIEN**

– **Taille de structure et ligaturage:** possibles toute l'année.
– **Rempotage:** possible toute l'année, mais de préférence de février à mai.
– **Taille d'entretien:** quand les pousses ont 4 à 6 paires de feuilles, rabattre à la 1re paire.

▶ **SYMPTÔMES PARTICULIERS DE CARENCE OU D'EXCÈS**

– **Chlorose:** excès d'eau.

▶ **SENSIBILITÉ AUX MALADIES ET PARASITES**

– Pucerons, acariens *(voir p. 126).*

Arbuste à feuilles caduques, le Grenadier est considéré dans nos régions comme un bonsaï de serre froide, nécessitant un repos hivernal (de 5 °C à 10 °C). Ses fleurs et ses fruits rouges en font un sujet très attrayant.

Hêtre
Fagus sylvatica, Fagus crenata

**Cet arbre possède un tronc lisse d'un gris bleuté, et des feuilles ovales dont la couleur varie du vert-clair au vert-foncé, selon la nature du sol et l'ensoleillement.
Les solitaires ont un port naturel strictement vertical (CHOKKAN).**

▶ **CONDITIONS PARTICULIÈRES DE CULTURE**

– **Température et ensoleillement :** s'il supporte bien le plein soleil, il a par contre besoin d'avoir les pieds au frais.
– **Eau :** éviter de laisser sécher le substrat. Arroser régulièrement pour maintenir la motte fraîche, surtout en été.
– **Engrais :** la pousse ne s'effectuant que dans les quelques semaines qui suivent l'éclosion des bourgeons, on ne fertilisera qu'à la fin de l'été et au début de l'automne, au moment ou l'arbre accumule ses réserves pour l'année suivante. Utiliser un engrais riche en potasse, ou un engrais japonais en boulettes.
– **Sol :** très drainant et riche en humus.

▶ **CONDITIONS PARTICULIÈRES D'ENTRETIEN**

– **Taille de structure :** fin de l'hiver.
– **Ligaturage :** de mars à juillet. Attention à ne pas laisser le fil s'incruster dans l'écorce. Les marques resteraient alors visibles très longtemps.
– **Rempotage :** juste avant la reprise de la végétation, à la fin de l'hiver. Ensemencer le nouveau mélange de terre avec un peu de l'ancien substrat : la présence de mycorhizes dans celui-ci est absolument vitale pour l'arbre.
– **Taille d'entretien :** si on veut augmenter la vigueur de l'arbre ou de certaines branches, laisser se développer entièrement les pousses. Les rabattre ensuite à 2 ou 3 feuilles *(voir p. 34)* entre mai et septembre, suivant le degré de vigueur souhaitée. Le Hêtre ne refait que très rarement une deuxième pousse.
– **Pincement :** méthode habituelle de taille, sur les bourgeons terminaux, ou lorsque la formation de l'arbre est achevée. Une des particularités du Hêtre réside dans l'étonnante régularité de son horloge interne. Quel que soit l'état d'avancement de la saison (printemps précoce ou non), un Hêtre commencera à ouvrir ses bourgeons à la même date, chaque année. Quelques jours avant (1 à 3), lorsque les bourgeons terminaux bien gonflés seront prêts à éclore, on les pincera de la manière suivante : la base du bourgeon étant maintenue par les doigts d'une main, on tiendra sa pointe entre le pouce et l'index de l'autre main.

Après avoir imprimé à la pointe un mouvement rotatif, on le tirera d'un coup sec : il ne reste alors à la base du bourgeon que 2 ou 3 feuilles. Contrairement à la taille classique, cette méthode empêche l'entre-nœud de s'allonger.

– **Exfoliation :** une 2e pousse étant très rare, on évitera donc d'exfolier le Hêtre.

► **SYMPTÔMES PARTICULIERS DE CARENCE OU D'EXCÈS**

– **Chlorose :** substrat mal drainé, arrosages trop fréquents.

► **SENSIBILITÉ AUX MALADIES ET PARASITES**

– Pucerons lanigères, cochenilles, oïdium *(voir p. 126).*

Mélèze
Larix

Conifère caduc, dont les aiguilles longues et souples sont groupées en petits fascicules. Elles prennent une belle couleur dorée en automne avant de tomber.

▶ **CONDITIONS PARTICULIÈRES DE CULTURE**

– **Température et ensoleillement :** aime le plein soleil.
– **Engrais :** riche en potassium, ou engrais japonais en boulettes, pendant toute la période de pousse.
– **Sol :** très drainant, avec une forte proportion de sable grossier ou d'Akadama.
– **Eau :** bien laisser sécher entre deux arrosages.

▶ **CONDITIONS PARTICULIÈRES D'ENTRETIEN**

– **Taille de structure et ligaturage :** en hiver.
– **Rempotage :** juste avant la reprise de la végétation, à la fin de l'hiver. Possible également en automne. Ensemencer le nouveau mélange de terre avec un peu de l'ancien substrat : ceci permet le développement des mycorhizes nécessaires à l'arbre. Ne tailler qu'un tiers des racines au maximum.
– **Pincement :** en mars ou avril, selon les régions, on pincera les jeunes pousses avec les doigts *(voir p. 40)*.

▶ **SYMPTÔMES PARTICULIERS DE CARENCE OU D'EXCÈS**

– **Dépérissement de branches ou de rameaux :** pourrissement de racines et/ou champignons, dus à un substrat mal drainé.
– **Beaucoup d'aiguilles jaunes au printemps ou en été. Dépérissement du centre de la ramure :** manque de lumière et/ou soif chronique. Vérifier l'emplacement et la fréquence des arrosages.

▶ **SENSIBILITÉ AUX MALADIES ET PARASITES**

– Pucerons lanigères, cochenilles, acariens *(voir p. 126)*.

Olivier
Olea

▶ **CONDITIONS PARTICULIÈRES DE CULTURE**

– **Température et ensoleillement :** aime le plein soleil. Craint le gel, mais doit impérativement hiverner à 5 °C maximum.
– **Engrais :** riche en potassium, ou boulettes d'engrais organique japonaises.
– **Sol :** très drainant, avec une forte proportion de sable grossier ou d'Akadama.
– **Eau :** bien laisser sécher entre deux arrosages.

> Arbre emblématique du bassin méditerranéen, très robuste et à la croissance lente, appréciant les sols très drainants.

▶ **CONDITIONS PARTICULIÈRES D'ENTRETIEN**

– **Taille de structure :** à la fin de l'hiver, avant la reprise de la végétation. Tailler sévèrement les grosses branches en conservant au moins deux ramifications à la base.
– **Taille d'entretien :** pendant la période de croissance, de mars à juillet, uniquement quand au moins deux ramifications sont déjà formées.
– **Ligaturage :** difficile, car les branches sont très cassantes.
  Lui préférer une formation par la taille.
– **Rempotage :** tous les 3 ou 4 ans, avant la reprise de la végétation. On peut tailler sévèrement les grosses racines.

▶ **SYMPTÔMES PARTICULIERS DE CARENCE OU D'EXCÈS**

– **Chute prématurée des feuilles :** arrosages trop fréquents.

▶ **SENSIBILITÉ AUX MALADIES ET PARASITES**

Pas de sensibilité particulière.

Orme du Japon
Ulmus parviflora

Cette espèce d'Orme se distingue de celles originaires de Chine ou de Taïwan par son adaptation à un climat tempéré. C'est donc un arbre à feuilles caduques, et un bonsaï d'extérieur. Les feuilles sont petites, ovales et dentelées. L'écorce est profondément fissurée.

▶ **CONDITIONS PARTICULIÈRES DE CULTURE**

– **Température et ensoleillement :** aime le plein soleil.
– **Engrais :** riche en potasse, ou engrais japonais en boulettes, pendant la période de pousse.

▶ **CONDITIONS PARTICULIÈRES D'ENTRETIEN**

– **Taille de structure :** fin de l'hiver.
– **Ligaturage :** de mars à juillet.
– **Rempotage :** juste avant la reprise de la végétation, à la fin de l'hiver.
– **Taille d'entretien :** pendant la période de croissance, de mars à juillet. Quand les pousses ont 6 à 8 feuilles, rabattre à la 2e ou 3e feuille *(voir p. 34).*

▶ **SYMPTÔMES PARTICULIERS DE CARENCES OU D'EXCÈS**

– **Grandes feuilles et entre-nœuds longs :** engrais inadapté. Excès d'azote.
– **Chlorose :** eau trop calcaire. Faire des apports de fer et de magnésium.

▶ **SENSIBILITÉ AUX MALADIES ET PARASITES**

– Pucerons, aleurodes *(voir p. 126).*

Pin blanc du Japon
Pinus pentaphylla

▶ **CONDITIONS PARTICULIÈRES DE CULTURE**

– **Température et ensoleillement:** aime le plein soleil.
  Protéger du gel en dessous de - 5 °C.
– **Engrais:** riche en potasse, ou engrais japonais en boulettes,
  pendant la période de pousse.
– **Sol:** très drainant, avec une forte proportion de sable grossier
  (plus de la moitié du mélange) ou d'Akadama.
– **Eau:** bien laisser sécher entre deux arrosages.

▶ **CONDITIONS PARTICULIÈRES D'ENTRETIEN**

– **Taille de structure et ligaturage:** en hiver.
– **Rempotage:** juste avant la reprise de la végétation, à la fin
  de l'hiver. Possible également en automne. Ensemencer le
  nouveau mélange de terre avec un peu de l'ancien substrat:
  Ceci permet le développement des mycorhizes nécessaires à
  l'arbre. Ne tailler qu'un tiers maximum des racines.
– **Taille d'entretien:** en avril/mai, tailler les chandelles *(voir p. 38)*.
– **Exfoliation** (suivie d'une taille de structure): possible sur les
  sujets âgés et à la ramification très
  dense *(voir p. 60)*.

▶ **SYMPTÔMES PARTICULIERS
  DE CARENCE OU D'EXCÈS**

– **Dépérissement de branches ou de rameaux:**
  Pourrissement de racines et/ou champignons, dus à un substrat mal drainé.

▶ **SENSIBILITÉ AUX
  MALADIES ET PARASITES**

– Pucerons lanigères,
  cochenilles
  (voir p. 126).

Ce magnifique conifère est
particulièrement apprécié
par les amateurs de bonsaï.
Ses petites aiguilles,
groupées par faisceaux
de 5, peuvent prendre une
teinte légèrement bleutée.

Pin noir de Thunberg
Pinus thunbergii

**Cette variété de pin à deux aiguilles est reconnaissable à son écorce craquelée.
Sa croissance est lente.
Sa robustesse en fait le porte-greffe idéal pour le pin blanc *(P. pentaphylla)*.**

▶ **CONDITIONS PARTICULIÈRES DE CULTURE**

– **Température et ensoleillement :** aime le plein soleil.
– **Engrais :** riche en potassium, ou engrais japonais en boulettes, pendant toute la période de pousse.
– **Sol :** très drainant, avec une forte proportion de sable grossier ou d'Akadama.
– **Eau :** bien laisser sécher entre deux arrosages.

▶ **CONDITIONS PARTICULIÈRES D'ENTRETIEN**

– **Taille de structure et ligaturage :** en hiver.
– **Rempotage :** tous les 3 à 5 ans, juste avant la reprise de la végétation, à la fin de l'hiver. Possible également en automne. Ensemencer le nouveau mélange de terre avec un peu de l'ancien substrat : cela permet le développement des mycorhizes nécessaires à l'arbre. Ne tailler qu'un tiers maximum des racines.
– **Taille d'entretien :** en mai/juin, on supprimera complètement les chandelles.
  – **Exfoliation** (suivie d'une taille de structure) : possible sur les sujets âgés et à la ramification très dense.

▶ **SYMPTÔMES PARTICULIERS DE CARENCE OU D'EXCÈS**

– **Dépérissement de branches ou de rameaux :** pourrissement de racines et/ou champignons, dus à un substrat mal drainé.

SENSIBILITÉ AUX MALADIES ET PARASITES

– Pucerons lanigères, cochenilles *(voir p. 126).*

Pin sylvestre
Pinus sylvestris

▶ **CONDITIONS PARTICULIÈRES DE CULTURE**

– **Température et ensoleillement :** aime le plein soleil.
– **Engrais :** riche en potasse, ou engrais japonais en boulettes, pendant la période de pousse.
– **Sol :** très drainant, avec une forte proportion de sable grossier (plus de la moitié du mélange) ou d'Akadama.
– **Eau :** bien laisser sécher entre deux arrosages.

Très répandu en Europe, ce pin à 2 aiguilles se prête bien à la formation en bonsaï. Très rustique et résistant, il a cependant une croissance assez lente.

▶ **CONDITIONS PARTICULIÈRES D'ENTRETIEN**

– **Taille de structure et ligaturage :** en hiver.
– **Rempotage :** juste avant la reprise de la végétation, à la fin de l'hiver. Possible également en automne. Ensemencer le nouveau mélange de terre avec un peu de l'ancien substrat : Ceci permet le développement des mycorhizes nécessaires à l'arbre. Ne tailler qu'un tiers maximum des racines.
– **Taille d'entretien :** en mai/juin, on supprimera complètement les chandelles *(voir p. 34)*.
– **Exfoliation** (suivie d'une taille de structure) : possible sur les sujets âgés et à la ramification très dense *(voir p. 60)*.

▶ **SYMPTÔMES PARTICULIERS DE CARENCE OU D'EXCÈS**

– **Dépérissement de branches ou de rameaux :** pourrissement de racines et/ou champignons, dus à un substrat mal drainé.

▶ **SENSIBILITÉ AUX MALADIES ET PARASITES**

– Pucerons lanigères, cochenilles *(voir p. 126)*.

Pommier
Malus

Parmi les nombreuses espèces de pommiers, on retiendra pour la formation en bonsaï celles qui donnent de petits fruits. *Malus cerasifera* étant interdit d'importation, on se tournera vers les espèces *Malus halliana* et *Malus micromalus.*

▶ **CONDITIONS PARTICULIÈRES DE CULTURE**

– **Température et ensoleillement :** aime le plein soleil.
– **Engrais :** riche en potasse, ou engrais japonais en boulettes, pendant la période de pousse, après la floraison.

▶ **CONDITIONS PARTICULIÈRES D'ENTRETIEN**

– **Taille de structure :** fin de l'hiver.
– **Ligaturage :** de mars à juillet.
– **Rempotage :** après la floraison. Possible également en automne.
– **Taille d'entretien :** après la floraison. Quand les pousses ont 6 à 8 feuilles, rabattre à la 2e ou 3e feuille *(voir p. 34).*

▶ **SYMPTÔMES PARTICULIERS DE CARENCE OU D'EXCÈS**

– **Feuilles brûlées :** trop forte chaleur. Changer l'exposition.
– **Grandes feuilles et entre-nœuds longs :** engrais inadapté. Excès d'azote.

▶ **SENSIBILITÉ AUX MALADIES ET PARASITES**

– Feu bactérien, pucerons, cochenilles, oïdium *(voir p. 126).*

Pyracantha
Pyracantha

▶ **CONDITIONS PARTICULIÈRES DE CULTURE**

– **Température et ensoleillement :** aime le plein soleil.
– **Engrais :** riche en potasse, ou engrais japonais en boulettes, pendant la période de pousse, après la floraison.

▶ **CONDITIONS PARTICULIÈRES D'ENTRETIEN**

– **Taille de structure :** fin de l'hiver.
– **Ligaturage :** de mars à juillet.
– **Rempotage :** juste avant la reprise de la végétation, à la fin de l'hiver.
– **Taille d'entretien :** Pendant la période de croissance, de mars à juillet. Quand les pousses ont 6 à 8 feuilles, rabattre à la 2e ou 3e feuille *(voir p. 34).*

▶ **SYMPTÔMES PARTICULIERS DE CARENCE OU D'EXCÈS**

– **Feuilles brûlées :** trop forte chaleur. Changer l'exposition.
– **Grandes feuilles et entre-nœuds longs :** engrais inadapté. Excès d'azote.

▶ **SENSIBILITÉ AUX MALADIES
ET PARASITES**

– Feu bactérien, pucerons, cochenilles *(voir p. 126).*

Cet arbuste très rustique se caractérise par une abondante floraison printanière. Il se couvre ensuite de nombreuses baies orange ou rouges jusqu'au printemps suivant. Ses feuilles sont ovales et allongées, et ses rameaux portent de longues épines.

Zelkova
Zelkova serrata, Zelkova carpinifolia

Proches cousins des Ormes, les Zelkovas sont des arbres rustiques et très résistants. Leurs feuilles ovales, pointues et dentelées offrent de belles couleurs jaunes et orangées à l'automne. Le port naturel de cet arbre se prête bien au style « balai » (HOKIDACHI).

▶ **CONDITIONS PARTICULIÈRES DE CULTURE**

– **Température et ensoleillement :** aime le plein soleil.
– **Engrais :** riche en potasse, ou engrais japonais en boulettes, pendant la période de pousse.

▶ **CONDITIONS PARTICULIÈRES D'ENTRETIEN**

– **Taille de structure :** fin de l'hiver.
– **Ligaturage :** de mars à juillet.
– **Rempotage :** juste avant la reprise de la végétation, à la fin de l'hiver.
– **Taille d'entretien :** pendant la période de croissance, de mars à juillet. Quand les pousses ont 6 à 8 feuilles, rabattre à la 2e ou 3e feuille *(voir p. 34)*.
– **Exfoliation :** possible en juin.

▶ **SYMPTÔMES PARTICULIERS DE CARENCE OU D'EXCÈS**

– **Grandes feuilles et entre-nœuds longs :** engrais inadapté. Excès d'azote.
– **Chlorose :** eau trop calcaire. Faire des apports de fer et de magnésium.

▶ **SENSIBILITÉ AUX MALADIES ET PARASITES**

– Pucerons, aleurodes.
(voir p. 126).

▲ Les Zelkovas (ici des *Zelkova serrata)* prennent à l'automne
de splendides couleurs jaune ou jaune orangé.

Symptômes, diagnostics

Déséquilibre et carences

Nous avons vu comment la lumière, la température, l'eau et la nourriture conditionnent l'équilibre et le développement harmonieux du bonsaï. Une carence ou un excès de l'un de ces éléments entraînera donc un déséquilibre dans la physiologie de l'arbre. Un manque de lumière, une sécheresse chronique, ou une température mal adaptée – pour ne prendre que ces exemples – auront des conséquences visibles sur la santé du bonsaï.

En observant sa partie aérienne (tiges et feuilles) ou souterraines (racines et radicelles), on pourra, dans la plupart des cas, « lire » ce qui s'est passé et comprendre les causes du déséquilibre. Le processus est le même que pour un être humain en mauvaise santé qui va voir son médecin : celui-ci, en observant les symptômes, établira un diagnostic, puis prescrira des remèdes. Cependant, nous n'étudierons ici que ce qui concerne les déséquilibres dus à de mauvaises conditions de culture.

Les causes exogènes, telles que parasites ou maladies cryptogamiques (champignons) seront étudiées plus loin. Il faut d'ailleurs noter que, comme pour un être humain, les maladies frappent de préférence les organismes affaiblis et manquant de vigueur. De la même façon, des carences ou des excès dans la nourriture le fragiliseront. Par exemple, un excès d'azote rendra l'arbre plus sensible aux attaques de pucerons. Un substrat mal drainé et gorgé d'eau ouvrira la voie aux maladies cryptogamiques, de même qu'une absence totale de calcium dans l'eau d'arrosage. À l'opposé, un excès de ce dernier (eau trop calcaire) entraînera une chlorose (les feuilles pâlissent) et donc une moindre activité chlorophyllienne, d'où un affaiblissement général de l'arbre.

Les facteurs dus aux seules conditions de culture (lumière, chaleur, eau, nourriture) sont donc à la base de la bonne santé générale du bonsaï. Nous allons étudier quelques cas typiques des symptômes que des déséquilibres ou des carences peuvent entraîner.

t remèdes

1. Les feuilles sont retombantes et minces au toucher. Les jeunes tiges non lignifiées manquent de turgescence : l'arbre est déshydraté. Il faut impérativement l'arroser. L'observation de la terre (sèche et claire) aurait dû nous alerter bien plus tôt.

3. Feuilles sèches de couleur vert terne. L'arbre a subi un fort «coup de chaleur». Les feuilles n'ont même pas eu le temps de jaunir, et ont séché sans tomber. À ce stade, il est souvent trop tard. Si par chance, l'arbre émet de nouvelles feuilles, il faut être vigilant et éviter l'erreur inverse : l'excès d'eau. Beaucoup de bonsaï meurent en effet de noyade, après avoir subi une forte sécheresse.

On veillera également à ne pas tailler l'arbre : plus il aura de feuilles, plus il produira de sève élaborée, et plus il aura de chances de renouveler ses radicelles endommagées. Dans certains cas *(voir p. 126)*. on effectuera une application de fongicide afin de prévenir ou guérir une attaque de champignons. Les maladies cryptogamiques se déclenchent fréquemment dans un substrat détrempé. Si le bonsaï est conditionné dans une argile lourde (bonsaï importé de Chine), on veillera, après son rétablissement, à le rempoter dans un mélange aéré et poreux.

2. Beaucoup de feuilles jaunes. Dépérissement de la partie centrale de la ramure. Trois possibilités :
– l'arbre souffre d'une sécheresse chronique,
– il manque de lumière,
– la température est trop basse.
On vérifiera donc que l'emplacement (luminosité et chaleur) correspond aux besoins de l'arbre, et que les arrosages ne sont pas trop espacés.

4. L'extrémité et le tour des feuilles noircissent. L'arbre souffre d'un excès d'eau. Le substrat est constamment détrempé. Les racines sont en train de pourrir. Il faut donc attendre que la terre sèche légèrement avant d'arroser à nouveau.

5. Feuilles décolorées et pâles. Le limbe de la feuille blanchit et les nervures apparaissent, par contraste, plus foncées. Deux possibilités :
– soit il s'agit d'une chlorose due à une eau trop calcaire,
– soit ce sont les premiers symptômes d'un excès d'eau.

Dans le premier cas, on vérifiera la qualité de l'eau. Si celle-ci est trop chargée en calcaire, soit on la remplacera par de l'eau naturelle faiblement minéralisée (Volvic), soit on compensera cet excès par des apports réguliers de fer et de magnésium.

Les variétés les plus sensibles à un excès de calcaire sont les Ormes, les Sageretias, les Murrayas et le Rhododendrons. Dans le deuxième cas, si la qualité de l'eau n'est pas en cause, on se trouvera face aux premiers signes d'un début d'asphyxie des racines. Il faut donc là encore veiller à ce que la terre sèche légèrement entre deux arrosages. À terme, si on ne corrige pas cela, on se trouvera rapidement dans le cas mentionné en 4.

6. Feuilles pâles, tiges molles.

Il peut s'agir d'un problème de nourriture. Soit l'arbre ne reçoit pas assez d'engrais, soit celui-ci est inadapté (par exemple, pas assez d'azote). Il faut alors s'adresser à un professionnel qui prescrira l'engrais adapté à l'espèce *(voir Fiches de culture par espèces)*.

7. Feuilles de plus en plus grandes. Entre-nœuds de plus en plus longs.

Deux possibilités :
- pas assez de lumière,
- engrais trop riche en azote.
Là encore, on vérifie que l'emplacement correspond aux besoins de l'arbre (luminosité) et que l'engrais est bien adapté à l'espèce.

8. L'arbre ne conserve des feuilles qu'aux extrémités de ses pousses.

Les autres feuilles tombent au fur et à mesure que la pousse s'allonge. L'arbre souffre d'un excès d'eau. Ses radicelles sont en mauvais état, et pourrissent au fur et à mesure qu'elles poussent (correspondance entre la partie aérienne : les feuilles, et la partie souterraine : les radicelles).Il faut donc laisser sécher légèrement la terre, et bien veiller à ne pas arroser tant que le substrat est encore humide. Ne pas tailler les feuilles. Ce sont elles qui, par la sève élaborée qu'elles fabriquent, permettront au bonsaï de reformer un système racinaire sain.

Notons que dans les cas 4, 5 et 8, l'observation des racines et des radicelles permet de confirmer le diagnostic établi en observant les feuilles.
Un arbre en bonne santé aura des racines aux extrémités blanches et fermes. Si ces extrémités sont noirâtres et visqueuses au toucher, si elles se détachent facilement, c'est qu'elles sont pourries, et ne peuvent donc plus absorber l'eau du substrat. Il faudra donc surveiller les arrosages, et bien veiller à ce que le substrat soit légèrement sec avant de le mouiller à nouveau. Dans certains cas, l'excès d'eau dans la terre et la pourriture des racines ont pu entraîner la prolifération des champignons pathogènes. On devra alors traiter l'arbre avec des fongicides pour les éliminer *(voir p. 126)*.

Maladies, parasites et traitements

Chez les êtres humains, les maladies et les parasites s'attaquent de préférence aux organismes affaiblis, carencés, ou à l'alimentation déséquilibrée. Il en est de même pour les végétaux en général, et les bonsaï en particulier, car il sont cultivés en milieu artificialisé. Par exemple, un substrat mal drainé et toujours trempé entraînera l'apparition de maladies cryptogamiques. De même, une nourriture mal adaptée, une carence ou un excès de certains aliments nutritifs, peuvent favoriser l'apparition de maladies ou de parasites :

– un excès d'azote entraînera un alongement des pousses favorable à la prolifération des pucerons,

– un manque de potassium aboutira à une faiblesse générale de l'arbre : sensibilité à la sécheresse, gel, milieu salin, maladies, manque de tenue, mollesse des tiges et du feuillage, décoloration et enroulement foliaire,

– une absence de calcium dans un terreau trop acide le rendra plus sensible aux maladies et atténuera sa vigueur,

– un excès de calcium dans le substrat entraînera une chlorose ferrique.

Nous examinerons ici rapidement certaines des principales maladies et les parasites les plus fréquents. Une remarque préliminaire en ce qui concerne les produits de traitement : ceux-ci n'étant pas, dans leur majorité, spécifiquement conçus pour les bonsaï, il faudra toujours, par précaution, procéder à un essai préalable sur une petite partie de l'arbre. Si le bonsaï ne manifeste aucune réaction anormale au bout de 2 à 3 jours, on pourra généraliser le traitement.

LES MALADIES BACTÉRIENNES

L'une des plus dévastatrices est le feu bactérien des Rosacées. Cette bactériose est répandue dans toute la France à l'exception de la Corse. Elle s'attaque aux plantes suivantes : Alisier, Amélanchier, Aronia, Aubépine, Cognassier, Cormier, Cotonéaster, Nashi, Néflier, *Photinia* (= Stranvaesia) *davidiana*, Poirier, Pommier, Pyracantha, Sorbier. Les jeunes pousses noircissent tandis qu'un exsudat blanchâtre suinte des tissus. Traitement préventif au printemps avec du fosétyl-aluminium sur les arbres fruitiers à pépins. Le cuivre (bouillie bordelaise) est également autorisé contre les chancres bactériens.

LES MALADIES CRYPTOGAMIQUES

Elles s'attaquent à différentes parties de l'arbre.

- Les racines : si le substrat est lourd, mal drainé et constamment gorgé d'eau (arrosages trop fréquents), les racines pourrissent. Ceci s'accompagne souvent de la prolifération de champignons pathogènes, tels que le Pythium ou le Phytophthora. Ces champignons pourrissent les racines et le collet, ce qui provoque le dessèchement du feuillage et la mort des rameaux. À titre préventif, on cultivera le bonsaï dans un substrat drainant et l'on arrosera à fréquence raisonnable. Les traitements, uniquement préventifs, sont systémiques (absorbés par les racines et véhiculés par la sève). Produits à base de : propamocarbe HCl, fosétyl-Al, méfénoxam.

- Le tronc et les branches : le plus fréquent est le chancre fongique. À la faveur d'une plaie de taille ou d'une blessure, le champignon ulcère les tissus, entravant le flux de sève. Couper les parties malades et traiter avec un fongicide de contact à base de cuivre ou de mancozèbe. Plus rarement, la verticilliose s'attaque aux érables, platanes, sumacs et tilleuls. Les feuilles jaunissent et restent attachées aux rameaux. Les

rameaux présentent, en coupe transversale, des cernes brunis. Il n'existe aucun traitement. Une mention particulière concerne la graphiose qui a décimé les Ormes en Europe. Un champignon *Ceratocystis ulmi*, inoculé et transporté par un scolyte (insecte qui perce le bois pour y déposer ses œufs), envahit l'arbre et son mycellium bouche les canaux de sève. À notre connaissance, aucun Orme européen cultivé en bonsaï n'est pourtant touché. L'explication serait la suivante : chez un bonsaï, le diamètre réduit des canaux de sève ne permettrait pas au mycellium du champignon de se développer.

Oïdium.

- Les feuilles : le cas le plus fréquent est l'oïdium. Ce champignon blanc et farineux peut se développer en été sur les feuilles des chênes, hêtres, charmes et érables. Le Sageretia y est également sensible. Un milieu confiné, associé à des écarts, entre la température diurne et nocturne, favorise sa prolifération. À titre préventif, on évitera de mouiller le feuillage lors de

l'arrosage. À titre curatif, on supprimera les feuilles atteintes, et on utilisera un produit de traitement à base de soufre ou de myclobutanil.

LES PARASITES
Les pucerons

Ces parasites, particulièrement prolifiques et envahissants, se présentent sous différents aspects : blancs, verts, noirs ou lanigères (enveloppe cotonneuse).

Pucerons lanigères.

Ils s'attaquent aux jeunes pousses et aux feuilles, en les piquant et en suçant leur sève. Leurs excréments (substance poisseuse au toucher, appelée miellat) peut entraîner l'apparition d'un complexe de moisissures, la fumagine, dont la croûte noirâtre recouvre les feuilles. Une mention particulière concernera les fourmis : la présence de celles-ci sera souvent associée à celle des pucerons. Elles raffolent en effet de leur miellat, et se comporte avec eux comme les humains avec les vaches ! Elles les protègent des prédateurs, les transportent d'une zone

d'alimentation à une autre, et elles consomment leurs sécrétions. La présence d'un grand nombre de fourmis circulant sur un bonsaï devra donc éveiller votre vigilance ! Les pucerons peuvent s'attaquer à de nombreux arbres. Le traitement se fera en deux temps :
– Douchez d'abord à l'eau tiède le revers des feuilles, afin d'éliminer la plus grande partie d'entre eux. Pour cela, retournez l'arbre après avoir protégé la motte, en enveloppant le pot dans un sac plastique, noué autour du tronc.
– Ensuite, appliquez un produit anti-pucerons soit bio, soit chimique (nombreux produits "autorisés au jardin").

Les cochenilles
Elles se présentent sous la forme de coques brunes ou grises collées sous les feuilles et sur les tiges. Une variété appelée cochenille farineuse présente extérieurement le même aspect floconneux que les pucerons lanigères.
Dans tous les cas, les traitements sont rendus difficiles par leurs protections naturelles

Cochenilles farineuses.

(boucliers, plus éventuellement, revêtement floconneux). Il faudra donc essayer de les décoller avec les ongles ou avec une brosse à dents. Procédez si nécessaire à un traitement avec un produit anti-cochenilles à base d'huile de colza ou d'huile de paraffine associée ou non à du malathion. L'huile asphyxie le parasite. Si nécessaire, renouvelez la pulvérisation au bout de 8 jours.

Les acariens
Ces parasites improprement surnommés « araignées » rouges ou jaunes, attaquent de préférence les ormes, tilleuls, charmes et conifères. Leur taille est minuscule, mais on pourra deviner leur présence grâce aux petites taches ocres sur le limbe des feuilles ou des aiguilles. Il s'agit d'une réaction des tissus de l'arbre aux piqûres du ravageur.
Pour s'assurer de la présence de ces parasites microscopiques, on utilisera un « truc » simple : il suffit de secouer le feuillage au-dessus d'une feuille de papier blanc. Parmi les minuscules points, poussières et fragments de feuilles qui s'y déposeront, on reconnaîtra la présence des acariens au fait que certains de ces points bougent... On traitera alors avec un produit anti-acariens autorisé au jardin

(suivre les préconisations d'emploi sur l'emballage).

Les aleurodes
Surnommés improprement « mouches blanches », les formes adultes se concentrent sous les feuilles de certaines variétés (Sagérétias, Ormes), et s'envolent lorsqu'on secoue le feuillage, avant d'y revenir aussitôt après.

Mouche blanche.

Leur résistance aux produits de traitement est importante. La stratégie consiste à traiter les aleurodes adultes dès détection (piège jaune englué recommandé) avec de la bifenthrine. Quelques jours plus tard, appliquez un larvicide à base de buprofézine. Renouvelez au besoin une semaine plus tard (ne pas oublier de pulvériser le dessous des feuilles).

REMERCIEMENTS

Parmi toutes les personnes qui ont
précédé ou accompagné la gestation de
ce livre, je tiens à remercier tout
particulièrement : Yasushi Onuma, pour
m'avoir encouragé à faire de ma passion
un métier, Andrée et Frédéric Laurent,
pour leur aide précieuse et leur
gentillesse, et enfin…
La Bestiole, pour m'avoir donné l'envie
d'écrire cet ouvrage, et pour ses
encouragements affectueux.

BIBLIOGRAPHIE

Parmi les livres et les revues les plus
complets au niveau technique, on peut
citer les ouvrages suivants :
- John YOSHIO NAKA : *Techniques
du Bonsaï*. Verlag Bonsaï.
Centrum Heidelberg.
- Yasushi ONUMA : *Yamadori Bonsaï*.
Fédération Française de Bonsaï.
- *Bonsaï Today*. Traduction anglaise
de la revue japonaise *Kindaï Bonsaï*,
Stone Lantern Publishing Co, PO BOX
816, Sudbury, MA 01776, USA.

ISBN 978-2-84138-359-7
© 2009, 1999,
Les Éditions Eugen Ulmer
8, rue Blanche, 75009 Paris
Tél. : 01 48 05 03 03
Fax : 01 48 05 02 04
Réalisation : Guillaume Duprat
Impression : Printer Trento
Dépôt légal : 3e trimestre 2009
Printed in Italy

N° d'édition : 359-5

CRÉDITS PHOTOGRAPHIQUES

Photos :
- Frédéric Lièvre, Cusset, 4e de couverture,
p. 7, 10, 12, 21, 37, 60, 66, 67, 68, 73,
79, 80, 81, 83 à 87, 89, 91, 93, 96, 99,
101, 102, 104, 105, 108, 109, 111, 114,
115, 118 à 120, 123, 124, 127.
- Eric Valtin, Chatel Guyon : p. 25, 35,
36, 47, 48, 49, 50, 51, 52, 53, 69, 70,
71, 74, 75 à 77.
- Frank Photo, Riom : p. 5, 32, 33, 57, 59
- Wofgang Kohlhepp, Oberwerrn :
p. 14, 28, 55, 117.
- BIOS : J. S. Sira : p. 2 (Tea house hamp-
ton court). C. Thouvenin : 20, 78
gauche, 116. H. Lenain : 98. P.
Goetgheluck : 100.
- MAP : N. Pasquel : p. 30, 72 / 82 /
88 / 97 / 103 haut / 112 / 113 / 118
haut, 121 (collection R. Samson), 79
milieu / 94 / 95 (Collection J.-L.
Mandolin). N. et P. Mioulane : 90.
- Garden Picture Library : J. S. Sira :
couverture, p. 92, 103 bas, 106-107.

Bonsaï appartenant à Denis Sebban :
P. Pentaphylla (p. 5), Orme de Taïwan
(p. 35), forêt de Celtis (p. 47), Sageretia
(p. 36, 85), Genévrier de Chine (p. 59),
Genévrier de l'incrustation (p. 70-71),
Zelkova de Chine (p. 89), Hêtre
(p. 111), Orme du Japon (p. 114),
Zelkova (p. 120).

ILLUSTRATIONS

- *Dessins* : Wofgang Kohlhepp,
Oberwerrn : illustrations des
différents styles (*p. 8 et 9*).
- *Tous les autres dessins* :
Régis Macioszczyk, Pessac.

MIXTE
Papier issu de
sources responsables
FSC
www.fsc.org   FSC® C015829